科学新知系列

〔英〕黛安娜·金普顿／原著 〔英〕罗斯特·罗伯特森／绘 阎庚／译

北 京 出 版 集 团
北京少年儿童出版社

图书在版编目(CIP)数据

电影特技魔法秀／(英)金普顿(Kimpton, D.)原著;(英)罗伯特森(Robertson, R.)绘;阎庚译. —2版. —北京:北京少年儿童出版社,2010.1
(可怕的科学·科学新知系列)
ISBN 978－7－5301－2377－5

Ⅰ.①电…　Ⅱ.①金…②罗…③阎…　Ⅲ.①电影特技—少年读物　Ⅳ.①J916－49

中国版本图书馆 CIP 数据核字(2009)第 182679 号

可怕的科学·科学新知系列
电影特技魔法秀
DIANYING TEJI MOFA XIU
[英]黛安娜·金普顿　原著
[英]罗斯特·罗伯特森　绘
阎庚　译
*
北京出版集团
北京少年儿童出版社　出版
(北京北三环中路6号)
邮政编码:100120
网址:www.bph.com.cn
北京出版集团总发行
新华书店经销
三河市天润建兴印务有限公司印刷
*
787毫米×1092毫米　16开本　9.75印张　60千字
2010年7月第2版　2021年10月第35次印刷
ISBN 978－7－5301－2377－5/N·165
定价:22.00元
如有印装质量问题,由本社负责调换
质量监督电话:010－58572393

目录

介 绍

想一想，在你看过的电影里，哪些特技效果最令你终生难忘？是《小猪宝贝》里会说话的小猪？是《侏罗纪公园》里活灵活现的大恐龙？要不就是《星球大战前传之魅影危机》中乱飞的虫子？

或许，这些特技效果的水平之高，让你分不清那到底是特技效果还是真的。在那些神奇的电影场景里面，整个大仓库居然能一下子被炸毁，大风竟然能把整条船吞没。那场面是如此宏大，让你难辨真假。

你看过的这些宏大场面一般都发生在电影里，当然，在舞台上也会运用特技效果。人们总是喜欢讲故事，但是，当他们想用艺术形式表现自己的故事时，就碰到难题了——怎么能让观众感觉上帝从天上来到人间像真的一样？怎么能让观众相信故事中被杀的人真的死在他们的眼前？怎么能让一位普通的演员化装之后变成一只令人毛骨悚然的大怪兽？

所有这些问题集中在一起，终于促成了电影特技效果这一行当的产生。没有人能确切地说出电影特技效果到底是什么时候诞生的。

也许正像下面这两位聪明的穴居人说的那样：

从那以后，虽然电影和舞台上的怪兽越变越逼真，各种场景也越来越壮观，但是，它们的基本原理和穴居人说的是相同的（比如想营造迷惑人的气氛，就要使用烟雾）。其实，电影特技就是关于错觉的艺术——让观众相信根本就不存在的事物。

你想知道这些错觉是怎么造成的吗？你喜欢制作倒塌的架子、枯萎的花朵和人造假血吗？你愿意亲自导演一部叫作《大鼠星球的进攻》的电影吗？那么，就请仔细读一读这本书，来探寻电影特效这一魔法的秘密吧。

特技效果的里程碑

公元5世纪

很早以前，古希腊人就用起重机将扮演上帝的演员从舞台高处吊到台上，这项特技叫作“解围之人”。它使演员看起来像是从天上降临到人间的。

15世纪

在中世纪神秘的戏剧舞台上，已经出现了洪水与烈火的特技效果，比如乔治勇士斩杀巨龙的场面。

1610年

莎士比亚在自己的戏剧《冬日传说》中写了一个“逃跑的、被熊追赶的人”的角色，在实际表现时，莎士比亚感到很棘手。而这一角色的要求使得一位特技效果专家应运而生。

1862年

约翰·亨利·派特教授首次使用了以自己名字命名的“派特的鬼魂”技术，第一次在舞台上制造出了一个鬼的形象。

1895年

乔治·梅里爱第一次看到了电影——电影强大的魅力吸引着他，并促使他发展了早期的特技效果技术。

1923年

在电影《十诫》里，使红海分开那一段使用了大量特技镜头。

1927年

有声电影的出现，使得声音特技也得到了很大发展，从而更增强了画面的真实感。

1933年

电影《金刚》成功地使用了当时几乎所有的特技技术，包括用45厘米高的模型扮演那只大猩猩，用6米高的模型代表它的头部和肩膀，还用了一个足够大的机械爪子来抓住女主角的扮演者费·瓦瑞。

1954年

电影《海底两万里》使用了一个巨大的乌贼模型，它有几吨重，需要16个人来操纵。

1963年

电视连续剧《神秘博士》开创了恐怖片的新天地，它用较低的成本制造出了恐怖的效果，吓得许多孩子在看该片时都躲到沙发后面去了。

1968年

电影《2001——太空遨游之旅》用非同寻常的特技效果和引人入胜的故事情节深深地震撼了观众。

1977年

电影《星球大战》里，应用了现代工业灯光和魔术的一些效果在银幕上创造出整个宇宙的壮美景象，使得拍摄该片的公司一夜之间闻名全球。

1982年

电影《星战大怒吼》使用电脑合成的图像，展现了一个荒芜的星球向文明世界进攻的过程。

1986年

音乐剧《歌剧魅影》将维多利亚时代的表演风格与现代技术结合在一起，创造出两个人物中突然一

个人到水下，另一个人从镜中走出来的场面。

1988年

在电影《柳树》里，一种特殊的影像处理技术可以把一个图像毫无破绽地转变成另一个图像，造成的视觉效果令人瞠目结舌。

1993年

在《侏罗纪公园》里，数码合成的恐龙形象头一次在电影中成为主角。

1995年

电影《小猪宝贝》用电脑绘画技术让银幕上真实的动物说着人话。

1997年

电影《泰坦尼克号》花了2亿美元的投资，其中绝大部分用于制造特技效果，打破了之前所有电影特技投资的世界纪录。

2000年

电影《小鸡快跑》的成功，证明了传统的动画技巧——动作定格、逐格拍摄、逐格变化的动画技术在拍摄电影时仍有较强的生命力。

特技效果的魔力

特技效果是一门关于错觉的技术。几百年来，错觉的鼻祖要算是魔术了。在多年来不断探索新的戏法技巧的过程中，魔术师们创造出了许多关于制造错觉的重要原则。这些原则对于拍摄电影也同样具有指导意义。现在，让我介绍你认识一位人称“快手先生”的魔术师，他很随和，愿意和你分享他魔术师职业的一些秘密。

眼见为实：真是这样的吗？

这里有个花瓶，看起来很普通，它也的确是个普通的花瓶。快手先生用自己的方式把它买了回来，花了 1 英镑。商店里摆着上千只花瓶，都和它没什么区别。这个花瓶显得很普通，不是吗？你当然不会把它和魔术联系到一起。

这里还有一只花瓶，看起来和上一只惊人的相似，但是，它已经有几千年的历史了。这只花瓶是由埃及历史上最伟大的魔术师迈斯蒂克斯亲自制作出来的，其中隐藏着这位魔术师变魔术时的魔力。有一天，他被埃及王室驱逐出境，带走了这只花瓶，人们以为这只花瓶从此将永远消失了。但是，他的继承人一代接一代地完好保留了这只花瓶，花瓶从一位魔术师传到另一位魔术师手中，直到最后，传到了“快手先生”手里，而他，将向全世界宣布花瓶里隐藏的秘密。

你对其中的秘密非常感兴趣吧？你一定急切地想继续往下看，想知道花瓶的秘密，想看看花瓶里隐藏了什么样的神奇魔力。虽然，你心里也知道，花瓶应该不会有什么魔力，可你还是甘愿被愚弄，愿意相信它是有魔力的。于是，“快手先生”用这只花瓶变起戏法来就比用上页里介绍的那只更容易给你留下深刻的印象。其实它们是从同一家商店买回来的，第二只花瓶的故事是他瞎编的。

同样的道理也适用于戏剧、电视剧和电影的拍摄。如果故事足够好，你能被深深地吸引，你就会愿意相信那个虚构的世界是真实的，即使舞台背景布置得还有点虚假，你也愿意相信那是真的。你不想去深究到底那些特技效果是怎么做出来的，而只是聚精会神地观看下面的情节是什么。这就是为什么特技效果用在故事情节较差的影片里，不如用在情节好的影片里更令人信服的原因。

如果故事情节并不吸引人，那么你就会把注意力集中在找出特技效果的破绽上。

魔术艺术之障眼法

在老电影里，我们常能看到英雄从容面对坏蛋举起的枪口，当时的场面就像下面这样……

这带给我们一些启示……

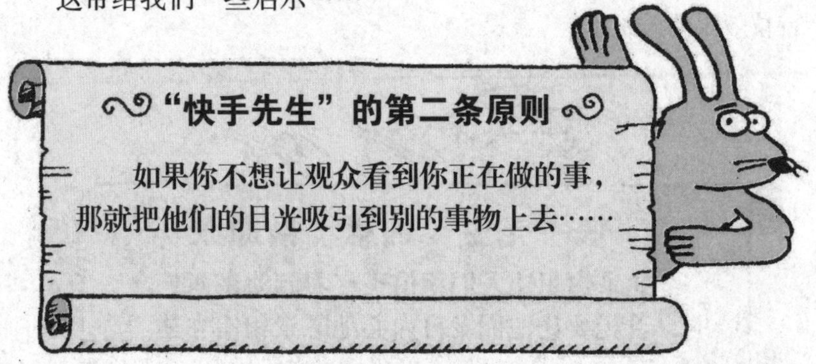

在制作电影时，当你完全能控制银幕上的画面时，这第二条原则就很好把握。如果你不愿意让观众看到一些东西，你只要不把这些东西展示出来即可。你可以先关上摄像机，等转换到另一场景之后再打开它。

观众看到的：

实际情况是：

像“快手先生”那样进行现场表演时，要想让观众将视线移到别处去，难度就要大一些了，因为大多数人都很聪明，他们一般不会被表演者用以吸引他们视线的小戏法所迷惑。但是，魔术师们还是有各种手段能让观众将视线移开，下面就介绍一些“快手先生”常用的小把戏。

瘦女孩塞丽娜

塞丽娜看起来比一般漂亮的女孩要瘦一半。她是表演助手，经常在适当的时候换布景，和观众说话或挥舞着手中的道具，以此来吸引观众的目光。

魔术棒

在现实表演中，魔术棒只是一根刷上黑白相间纹路的小木棒而已，它根本没有魔力。但是，当“快手先生”一只手拿着小棒转动它时，人们的目光会随着小棒走，而忽视了去注意他的另一只手正在干什么。

说废话

这是其他魔术师对“快手先生”表演魔术时说话的一种叫法。当“快手先生”在表演时，总是讲一些笑话，用语言表述自己正在做的事，或叙述一些关于古埃及花瓶传奇之类的古怪故事。他总是在不停地说呀说。在他说个不停的时候，人们的注意力都集中在听他说话上了。人们在倾听时，通常会注视说话人的脸，而不是他的手。

闪光

舞台上一道明亮的闪光足以吸引人们的注意力，在闪光之后，往往藏着不愿让观众看到的东西。因为强光闪过之后的一瞬间，人通常会眼前一黑，看不到东西。

黑色魔力

黑色原本就是一种魔幻色彩，“快手先生”借助黑暗来和他的小猫——卡西伯特一起表演。

这只猫大概是你见过的最黑的猫。它周身上下没有一根白毛。现在，“快手先生”把它放进装煤的地窖里。

等一会儿

再等一会儿

这正应了那句古话——“在装煤的地窖里看不见黑猫”。这只猫睡着了，带给我们“快手先生”的第三条原则……

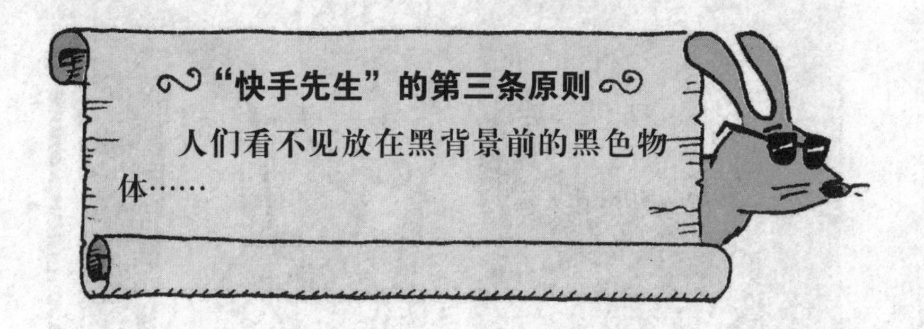

大多数舞台的背景都是一大块黑色的幕布，这就可以帮助魔术师变魔术了。“快手先生”靠它掩护吊着花盆来回飘荡的黑绳子，使花盆好像自己在空中飞舞一样。

黑幕布还可以掩护这个操纵鸵鸟的人，因为他从头到脚都被黑布包裹着。为了使效果更好，鸵鸟被涂成闪荧光的粉色，在闪着紫外线灯光的舞台上，发出耀眼的光芒。

最神奇的是，在黑色幕布的帮助下，一个女人能突然现身于舞台中央。

在这个女人现身之前，她先要站在舞台中央的矮桌子或台阶上，以使自己从头到脚都在黑幕布前。她站在那里，身前遮着一块大黑布，一动不动。舞台上的其他表演始终吸引着观众的目光，设计好的舞台灯光让她站立的位置始终处于阴暗处。

突然，传来一声巨响，她脱下遮身的黑布，向前迈步，在聚光灯的照射下走向观众。

电影魔术

最早的电影对人们来说就像魔术一样，人们以前从来没见过可活动的画面，它令人十分兴奋。舞台上的魔术表演是带给人们错觉的艺术，而电影对人们来讲就是最大的错觉，因为人们从银幕上看到的一切都不是存在于那里的。人们看到了恐龙、太空船和丛林探险家，其实他们看到的一切都只不过是多彩的光在银幕上闪耀而已。

电影背后的人们

创造电影这种最伟大的错觉有赖于一大批人。除了制片人、导演、演员、特技人员之外，还有美工师、摄影师、灯光专家、服装师、置景人员、化妆师、电工、清洁工、司机以及做三明治的师傅等。这个名单能拉得很长很长。

这个名单长长的队伍中，每一个成员都贡献出自己特有的技能，最终制造出产品——电影，就是用多彩的光影在银幕上讲述一个故事。

电影是怎样工作的

如果看看这段胶片，你会看到一系列的静止的画面，每一张画面都比前一张显示的时刻稍晚一点。

这部影片的制作者把这些画面一张接一张地在银幕上放出。如果这一过程进行得很慢，那么你看到的画面将是独立存在，互不相干的。但事实上，它们却是相互关联的。如果快速放出这些画面，前一张画面还没从你眼前消失，后一张画面就接着展示在你眼前了。这样，会使这些画面在你的大脑里混合成一片，使你认为所看到的是活动的画面。

这一现象叫作视觉暂留现象。你可以进行一个实验：叫一个小伙伴在一间黑屋子里朝你挥动一个手电筒，如果他挥动得比较慢，你就只会看到一个光亮点在移动；如果他挥动得很快，手电光就能在你眼前形成一个光环。

你不能停在这里！我刚觉得有点儿意思。

你也可亲自动手，用练习本制作自己的小动画片。在练习本每页的右下角画上一系列的人物形象，让每一页上人物在动作上都与前一页的动作有细微的不同。不要担心自己画得不好——一个简笔画的小孩子就足够了。如果你愿意，可以照着下面这些样子画。

现在，轻轻翻动练习本，如果能保持均匀的速度，就会看到小孩子动起来了。

如果你想看看现成的范例，就快速翻动这本书的右下角，让“快手先生”的小兔子跳起舞来吧。

电影魔术师——乔治·梅里爱

19世纪末，电影刚一发明出来，人们便开始试验各种变化多端的特技画面。在这些早期的特技人中，最有成就的一位是法国人，名叫乔治·梅里爱。如果你读过本书的第一章，应该对他有印象，他是一位舞台魔术师。

梅里爱在1895年第一次看到电影时，就深深地爱上了这门艺术。他自己掏钱买了一部摄像机，开始拍摄自己身边的世界。电影对于当时的观众来讲是那么的新鲜，他们根本就不在乎故事情节。他们只是喜欢看各种东西的画面——比如火车啦、大海啦，甚至是人们打扑克的画面。

一天，当梅里爱在巴黎街头拍摄电影时，摄像机里的胶片忽然卡住了。他花了好几分钟的时间，才把它们弄好，当然，在他整理胶片的同时，街头的车和人仍在不停地移动着。他修好机子后，就又接着开始拍摄了。当梅里爱对这些胶片进行显影处理时，发现了令人惊讶的一幕，一辆汽车突然变成了灵车，而一名男人一下子变成了女人。

这一偶然发生的事件启发了梅里爱。他发现，摄像机还有许多潜在的功能可以挖掘。从那以后，他把自己在舞台上变魔术时积累的知识和摄像机的新功能结合起来，制作出特技电影来取悦观众。他能把人送上月球，能让怪兽在说话时摘掉自己的脑袋——他所做的这一切只是靠着一台笨重的、维修过的摄像机，而根本不需要电脑来帮忙。

梅里爱的黑色魔术

和“快手先生”以及其他的魔术师一样，梅里爱知晓黑色的重要作用。当他开始试验着拍摄电影时，发现了黑色的另一大用处。

胶片见光会起化学反应。当你拍照时，照相机的快门短暂地开合一次，光线会进入机内，使胶片变成照片。

如果你忘了过卷就再次按动快门，就会在第一张胶片上又制造出另一张照片来，这就叫二次曝光。

这其实是件很烦人的事，很多现代的相机都设有安全装置，

以防止人们如此错误地操作。

梅里爱使用了魔术里常用的黑色原理，使得二次曝光的两个画面看起来好像是在同一时间发生的。首先，他会拍摄一个场景，这个场景的一部分被遮成黑色的。

黑色不会透过任何光线，所以每一个画格的胶片上显示的黑色的部分就是未曝光的部分。

接着，他把胶片倒回去，再次用它来拍摄站在黑色背景前的一个人。

梅里爱仔细地把前后两次拍摄的部分组合在一起，后来拍摄的画面刚好被安排在原来拍下来的黑色区域。

如果后来拍摄下来的人站得离摄像机很近，那么跟画面里的其他人相比，他就显得特别高大。如果他站得较远，则看起来很渺小，就像下面这样。

梅里爱最著名的特技是在电影《长着橡皮脑袋的人》里所用的特技。他在其中使用了这种二次曝光技术，创造出了一个人的脑袋被放进减压舱里越变越大直至最后爆炸的特技效果。首先，他拍摄下全部场景，只是人没有脑袋，在本来该有脑袋的地方留下了一片黑色。

接下来，他把胶片倒回去，在一个黑色的背景前只拍下自己的头。他坐在一只黑色的箱子里，头以下的部分不会被看见，箱子正对着摄像机，被拖上一个斜坡。

当他的头越来越接近摄像机时，他头部的画面也变得越来越大，箱子推拉的轨道是固定的，这能保证他的头保持在同一水平线上，而且固定在第一个画面中的黑色的部位。

二次曝光使这个脑袋看起来好像在减压舱里越变越大一样。

要知道，梅里爱创造出这一特技效果是在没有电脑，也没有其他现代技术做支持的情况下完成的，这就越发显得了不起。如果第一遍没拍摄成，他就得从头再来第二遍，直到最后成功。

遮片的魔术

二次曝光技术不用每次都在其中一幅画面里预留一片黑色才能奏效。另一种方法是在拍摄第一个场景时，在摄像机镜头的一部分前面挡上东西，使光线不能到达部分胶片。在拍摄第二个场景时，再遮挡住镜头前拍摄第一个场景时露出的部分。每一块用于遮挡光线的阻碍物都叫作遮片。

最简单的遮片形状是长方形，如果你有一部还能进行二次曝光的照相机，不妨亲手用它做个小实验。

▶ 先用长方形遮片挡住镜头的半边。

▶ 用露出的半边镜头拍摄下一个人。

▶ 不要让胶卷过卷。

▶ 现在，用长方形遮片挡住镜头的另一半。

▶ 用露出的另一半镜头拍摄下同一个人，让这个人站在与前一个镜头中正相对的一边。

▶ 最后，洗出来的照片画面就好像是同时拍摄下一对双胞胎一样。

当这项技术发展以后，用不同的途径把不同的拍摄对象集中在一张照片上就变得越来越巧妙了。黑色不再是最重要的颜色了。

现在，蓝色或绿色的背景代替了黑色背景，被用于拍摄独立的画面。当最后的画面完成的时候，你会看到，蓝色或绿色的背景已被换掉，人物被放在了适当的背景前。

现在，这道工序都是用电脑完成的，但是，在人类使用电脑之前，它可是一道累人的工序，人们称之为“移动的遮片”。它对不同的场景在不同的时间进行不同的曝光。现在，假设你想将这个在蓝色背景下拍摄的大老鼠形象与这片森林的景象结合在一起。

首先，你必须配合这只大老鼠的形象制作两个遮片——一个是大老鼠形状的黑色剪影，另一个是黑色的长方形，中间有个大老鼠形状的洞洞。

接下来，你得用第一个遮片在森林背景前制造一个大老鼠的影像，拍摄一次。

然后，将老鼠形象放在已做好的影像前，用另一个遮片遮住森林部分，再拍摄一次，将两次拍摄的画面进行二次曝光，合在一起。

在最后得到的画面上，森林前的老鼠变得极其巨大。同样的技术也可以使画面中得到的人物形象变得其小无比。这一技术在电影《寄居大侠》中应用得较多。

怎样拍摄慢镜头

现代电影每秒钟放映24格。如果你拍摄一个场景的速度比这个速度慢，放映出来的画面就会加快。举例来说吧，一段用每秒12格的速度拍摄的2秒钟长的画面，在银幕上放映出来时，只花1秒钟的时间。这一手法经常用在拍摄汽车高速飞跑的画面，先用每秒12格的速度拍摄一辆正常行驶的汽车，再用每秒24格速度放映出来，汽车就快得像要飞起来一样。当然，拍摄时千万别在画面出现有人走路的镜头，要不然，人也走得飞快，就穿帮了。

如果你拍摄一个场景的速度比每秒钟24格还快，那么放映出来的效果就是较慢的画面。举例来说吧，用每秒240格的速度拍摄的长1秒钟的画面，在银幕上会用10秒钟放映出来。这种手法可以用来拍摄人类在太空漫步的画面。后来，人们还发现，在使用标准的摄影方法时，它还有更重要的作用。

怎样拍摄惊险画面

通常放映影片的顺序是从头到尾，但是你在实际拍摄时可以不按这个顺序拍。假设你在拍摄一个战争的场面，要求有个镜头是敌人射出的箭距离男主角的脑袋只有几毫米，插入了墙里。

即使是世界上射箭最准的弓箭手也难以做出如此精确无误的射击。如果他射出的箭稍有一点偏离目标，那么你的英雄主角和你自己的电影生涯就会一起完蛋。

唯一的解决之道就是倒着拍摄：先拍一支箭插在墙上，英雄主角站在墙前面，他的脸紧挨着这支箭。然后让他从后往前表演，同时用一根细得根本在镜头里看不见的线拽着箭尾往后拔。将所有这一切倒着放一遍，就拍成你想要的惊险画面了。

怎样拍摄攀登险峰的镜头

现在，假设你想拍一个攀登险峰的镜头，而附近又没有合适的山峰，怎么办？一个非常简单的解决办法就是让演员趴在地面上爬行，让他假装做出正在爬山的表情动作，你拍摄时镜头要调转90度，侧着拍。当放映这段影片时，地面看起来像是垂直立着的峭壁，有人正在艰难地攀登它。

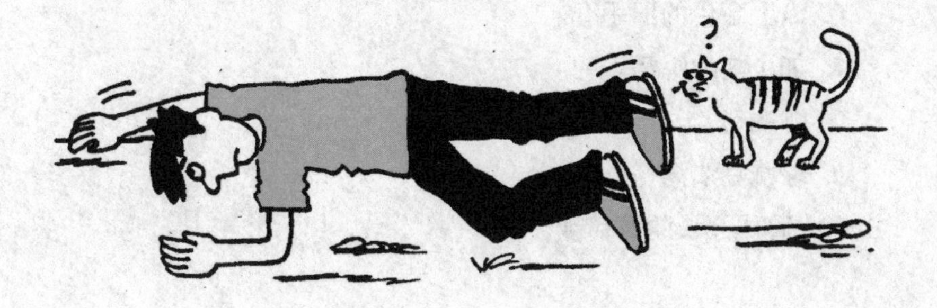

注意，你的镜头可千万别穿帮。你可以在画面里摆放一些类似杂草和石头之类的东西，调整好它们跟登山者的角度，使画面看起来更加真实可信。如果你拍摄的这部影片成本预算很高，那么可以让演员在一片蓝色的背景前面表演爬山，然后再将他的影像和真实的高山影像背景合在一起。

没钱就做便宜的特技

不是所有的特技都得花上成千上万英镑。猜猜看，下面这些极便宜的小玩意儿，不花钱的小手段用在电影或舞台上能起到什么重要作用？

1. 麦片粥。
2. 演员跌倒时摇晃摄像机。
3. 棉毛线。
4. 果冻泡沫。
5. 凉茶（没加牛奶）。
6. 涂上金色的旧手套。
7. 加了盐的啤酒。
8. 咖喱粉。
9. 绿豌豆浓汤。
10. 碎成几块的薄荷糖。

答案

1. 麦片粥可以从山峰的模型上缓缓流下来，特别像火山的岩浆，再加一些色素，可以使它看起来是红色的，好像是滚烫的样子。

2. 演员跌倒时摇晃摄像机，是拍摄地震画面最好、最便宜的方法。如果让一些人在镜头范围之外躺在地板上一起摇晃家具，就更显得真实了。同样的方法还可以表现太空船被袭击，电影《星际迷航》就是这么做的。

3. 棉毛线是白云最恰当的替代品，在拍摄飞机镜头时，模型飞机可以假装穿过这些“白云”。

4. 用合适的胶水和化妆品对果冻做一些加工后，可以在演员的身上制造出可怕的伤口，如果你正在拍摄一个伤口的特写镜头，记得要在镜头前挡上一块玻璃或透明塑料板，以防果冻泡沫沾到镜头上。

5. 凉茶不论在银幕上还是在舞台上都是威士忌的绝佳替代品。在拍摄电影《乱世佳人》时，男主角克拉克·盖博就用凉茶代替酒，骗过了女主角。

6. 涂上金色的旧手套在电视连续剧《神秘博士》中被当成机器人的手。

7. 把加盐的啤酒涂在玻璃杯壁上，等它干了以后，就像是一层雾。虽然它很便宜，但是非常好用，而且已经在电影和舞台上应用了很多年了。

8. 咖喱粉是最好的沙子模型，它们比黄沙颜色更深，还发出金黄色的光泽。它还可以带给你有趣的气味，当然，还是不要把它弄到眼睛里为妙。

9. 绿豌豆浓汤是呕吐物最好的替代品，它软而黏，从管子里喷出来，真的能达到令人恶心的效果。电影《驱魔人》中，曾用它来表现女演员病情严重。当时，这些汤从女主角的嘴里喷出来，喷得到处都是，达到了以假乱真的效果。

10. 如果一名跌倒的演员从嘴里吐出了碎成几块的薄荷糖，那他看起来一定像是牙被磕掉了。这一特技效果你可以在下一个愚人节用一下。

它们真的在那里吗

电影编剧总是把故事情节安排在过去或未来世界的任意一个角落甚至是遥远的银河系里，这就给电影导演和特技工作者们带来了挑战，他们得让观众相信演员真的就在那个时间、那个地点生活着。

“快手先生”的第一条原则在这里就显得特别重要了，特别是当表演发生在剧院里时。情节越是引人入胜，观众们越愿意相信这些演员并没在剧院里，而是生活在农村或是教堂里。当然，如果你能在特技效果方面对观众做出时间地点上的暗示就更好了。在剧院里，这种暗示通常靠声音效果来实现——小鸟的歌唱、羊儿的叫声意味着故事发生在农村，钟声的鸣响、唱诗班唱响的赞美诗就暗示着那里是教堂。

在电影里面，同样的暗示效果可以靠远景来实现。金门大桥、埃菲尔铁塔或热带雨林的景色在镜头里短暂地一闪而过，观众就会知道接下来要发生的故事发生在什么地方了。用同样的方法，先放一个阴森古堡的外景镜头，再紧接着放一个阴森的卧室

的镜头，就会让人们相信这间卧室就在这座古堡里面。还有，如果先放一个从高高的建筑物顶端往下俯拍的镜头，再紧接着放一个男主角在什么东西的边缘的镜头，就会让人们以为男主角就站在一座高高建筑物的顶端的边上呢。其实，他不过是站在片场里一个不到1米高的小台子上而已。

道具和布景

有句古话叫“金玉其外，败絮其中”。但其实，在我们的潜意识里，并不是按这种思维方式去思考问题的。我们的大脑很容易被欺骗。特别是如果我们根本就不希望见到什么时，也就不去相信它。

如果某件东西看起来像块石头，人们就想把它臆断为石头。如果人们看到了一座建筑物的正面，就愿意相信整个建筑物就在后头。

人们的这种思维方式在你布景时特别有用。你可以用纸做成石头，让它又轻便好拿，又不会砸到人，用纸做的石头把舞台布置成一座城堡的里面。你可以用木板做出一条街来，还可以用它代替砖头来做成一座公寓。

幸运的埃瑞克是英国的特技效果专家。他想向你介绍一些制作特技的小窍门。虽然他不是魔术师，却能很快把三张纸板变成三种完全不同的东西。

第一种变化：纸板变木头

▶ 在纸板上涂浅色的颜料，等它干透。

▶ 用深一些的颜料再在上面画上一层木头的纹理。在细部的处理上，可以用手完成。在大面上，刷好木头的颜色后，在它还湿着的时候，用专门刷木纹的工具为它刷上纹路。

▶ 成了，纸板变成木头了。

第二种变化：纸板变大理石

▶ 把纸板刷成白色的。

▶ 当白颜色还没干时，向上面滴一些灰白色或棕色的颜料，

它们会被纸板吸收一些，在纸板上形成深色的小斑块。

▶ 等所有颜料完全干了，用细软的刷子蘸些深颜色在上面画出大理石的花纹来。

▶ 成了，纸板变成大理石了。

第三种变化：纸板变金属

▶ 用铝粉之类的金属颜色涂刷纸板。

▶ 等颜料干了之后，在上面擦一层鞋油。

▶ 把鞋油打亮，因为纸板本身有些凹凸不平，在表面一些小坑里，还能看见残留的鞋油。

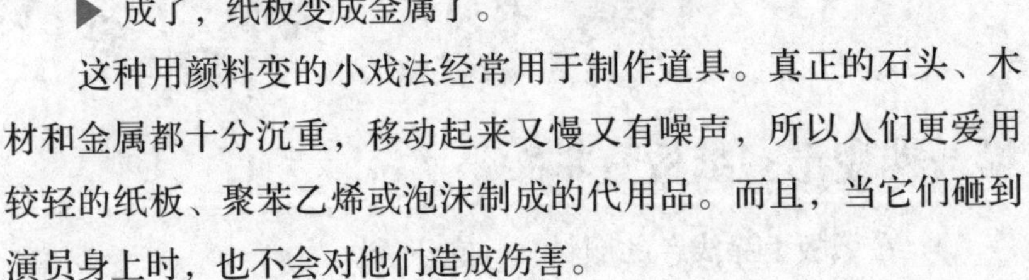

▶ 成了，纸板变成金属了。

这种用颜料变的小戏法经常用于制作道具。真正的石头、木材和金属都十分沉重，移动起来又慢又有噪声，所以人们更爱用较轻的纸板、聚苯乙烯或泡沫制成的代用品。而且，当它们砸到演员身上时，也不会对他们造成伤害。

聚苯乙烯的奇迹

聚苯乙烯非常容易被切割成电影制作人需要的各种形状，但是，这一特性也会造成一些麻烦。回想一下最近一次你打开用聚苯乙烯包装的礼物时，是不是它很容易破碎成极小的白色颗粒，然后飘散得到处都是？当你用它制作道具埋葬男主角时，乱七八糟的颗粒一定会破坏他的表演情绪。

天才的埃瑞克有办法克服这一困难。首先，他把聚苯乙烯切割成自己需要的形状，然后为它们穿上几层棉织品制成的外衣

——这几层外衣是用PVA胶粘牢的。经过PVA胶和棉外衣改造后的聚苯乙烯不仅不会破碎，而且可以降低它着火的可能性。下回，当你在电影里看到外星球上有一块石头，可别认为它只是聚苯乙烯，而要想到，它是聚苯乙烯、棉织品和PVA胶的组合物。

绘画的魔术

人人都知道，舞台表演是用绘画当背景的。无论绘制背景的艺术家手艺有多高超，也无法完全骗过你。你知道自己正坐在剧院里，舞台上华丽的罗马城市街景、壮观的阿尔卑斯山和美丽的乡村都是画出来的，不是真的。

而在电影里面，画出来的背景就逼真多了，绘画依然存在于一些电影画面里。在早期的影片里，用绘画当背景的情况和舞台上差不多。但是，电影特有的技术可以使影片里的绘画背景比舞台背景更富于想象力，更令人信服。

玻璃画

这一方法可以使本来不够理想的外景地变得令人满意。假设导演要求的场景是一座座带着高耸塔尖的宫殿，而你所能找得到的拍摄地只能是自己所在的中学，怎么办？没关系，你可以找一位手艺较高的画家，将这些宫殿的上半截画在一片玻璃上，将玻

璃画小心地安置在你的摄像机镜头前，让它与实景拍摄的画面严丝合缝地配合在一起，接下来，你就可以用它拍摄了。

另外，假设你正在拍摄一部战争片，需要拍一组向下俯视被炸毁的建筑物的镜头，你可以这样来拍：

第一步，在一座高高的建筑物旁边找一片平整的地面。

第二步，找一些碎石瓦砾和破木头铺在这片地上，使它看起来像被破坏的建筑物的内部。

第三步，爬到那座高大建筑物的某一层楼上，到你认为足够高的那一层就行。

第四步，在一片玻璃上画上屋顶残留物的画面，把它安在镜头前，用这个镜头从楼上对着这片地面拍摄。当然也可以真的透过一片人工制成的残破屋顶来拍摄这片处理过的地面。

遮片绘画

绘画被用于拍摄影片时，最常用的方法是将它们与实景拍摄的人和物合为一体，构成一套完整的画面。

想象一下，你正在导演一部电影，有一组镜头表现的是山坡下停了一只外星人的太空船，里面装满了巨大的外星老鼠，一位见此情景受了惊吓的地球人疯狂地往山上跑。不幸的是，你没有真正的外星太空船可以用来拍摄，少得可怜的拍摄预算也不允许你造一部和真船大小一样的模型。怎么办呢？让我们看看大导演史蒂芬·斯皮尔伯格是怎么做的。在拍摄《夺宝奇兵》一片时，剧

情需要让男主角走进一个虚幻的山谷，所以斯皮尔伯格拍摄了一个类似的画面，他是用遮片绘画的方法解决问题的。具体操作过程是这样的：

首先，拍摄演员往山上飞奔的镜头。

现在，让一位艺术家配合山坡的高度画一张太空船的画（他完全不用担心大老鼠——它们都在太空船里头待着呢）。

在后期制作时，将山坡画面和太空船画面合成一个镜头。

过去，这种镜头只能用遮片遮住部分胶片，一次曝光一部分，多次曝光后才能完成。现在，将两个画面进行合成，用电脑很快就可以做好了。

遮片绘画帮助埃瑞克建成了一些巨大的布景。他只建造拍摄所需景物的一小部分，画家来完成其他的大部分景物。就像这样：

可以变成这样：

史蒂芬·斯皮尔伯格就是用这种技术拍摄出了电影《夺宝奇兵》结尾处巨大仓库里的那场戏。

首先，他拍摄下一名男子在架子搭成的小棚子下坐在叉车里的镜头。接下来，在后期制作时，他把这一镜头画面与绘制出的巨大的仓库画面合成在一起，制成了那最后一场令人难忘的电影画面。

活动背景

绘制出的图画背景是不会移动的，那些拍摄好的大型图片作为背景也不能活动。对于建筑物或群山之类的图片来说，不移动根本没关系，可是对于街景之类的画面来说，只有移动起来，才显得真实可信。有一种方法可以让这类背景动起来，就是事先拍摄下这些场景的图像，在演员表演的背景处放置巨大的屏幕，把这些图像放映出来。

有时候，这些事先拍好的图像会从背面投影到屏幕上——这一工序叫作背景放映。

另外，也可以把图像投影到屏幕的前面。为了防止放映机被摄像机摄入镜头，电影制作人使用了一种叫“正面放映”的技术。他们把放映机放在双面镜的一边，镜子面把放映出的图像反射到特制的屏幕上，而摄像机透过这面镜子拍摄整个画面。

所有这些将演员和背景合成一体的方法，都可以让导演在拍摄过程中就能看到最终形成的画面将是什么样子的。

蓝屏拍摄

在蓝色或绿色的屏幕前拍摄演员表演，可以在后期制作时将演员动作与绘制的、拍摄的或是电脑合成的背景很好地结合在一起。这一技术甚至可以把真人表演和卡通画面合成在一起。电影《谁陷害了罗杰兔》和《欢乐满人间》中，都很好地使用了这一技术。当然，每一步拍摄都得事先计划好，因为在拍摄过程中，导演没法观看最终的画面效果。

绘制背景的缺陷

绘制的舞台及电影布景有一个最大缺陷，就是只有正对着它拍摄时，它看起来才完美，如果从斜侧面看它，人们一眼就能知道它是一幅画。

不过，尽管有这个问题，也并不意味着你必须弃用绘制背景，去选取整个巨大的场景或合适的真实地点拍摄。还有一种解决之道，那就是搭建模型。

在我们看电影时，可能会思考哪些画面是真实的，哪些画面是模型制成的。当在银幕上看到大量的人群时，你可得想一想："他们真的存在吗？"

仨一群，俩一伙

令人兴奋的电影情节总是离不开士兵战斗、部落造反或庞大的旁观者队伍。但是，这都需要数量极大的演员队伍。这可太难实现了。

1. 这些人都需要付给报酬，谁来填补这预算上的赤字？
2. 这些人都得穿上戏中服装，谁来提供这么多的服装？

3. 很难让这么多人同时听从导演的调遣，又不能让导演顺着这么多人的性子来操作。

有一种办法可以解决这个问题，就是让为数不多的演员站成一排前进，走在前面的演员一离开观众的视线，就赶快排到最后去，接着走。

电影特技效果的专家对这一问题有更高明的解决之道。

用电脑制图

电脑拥有强大的复制和粘贴功能，这一功能可以无数次地把为数不多的几名演员的形象复制成大量的令人信服的人群画面。这一技术比上页介绍的让演员来回转圈跑更容易迷惑观众。但是，如果不精心地制作，也会让细心的观众发现，人群中有相同的面孔。

有时候，导演们可以用这一技术为影片增加诡异的气氛。当然，他们要通过以下手法避免穿帮：

▶ 让同一位演员分多次穿不同的服装进行拍摄。

▶ 让人群站在离镜头远远的地方，使得演员们的脸在镜头里根本看不清。

▶ 只能让观众看到人群一闪而过，不能让他们看清楚了。

真人大小的木偶兵

这一技术可以在舞台上营造出剧情需要的所有士兵。即使有的观众看出它的破绽，也会为这精巧的设计叫一声好。

每位演员带两个真人大小的木偶，一边带一个，他们穿同样的衣服，这两个木偶来充当演员，看上去十分真实。这两个木偶被连接在演员身后背着的一个框架装置上，这一装置像我们的帆布双肩背包一样。演员的手臂和腿上都有线和木偶连着，他每做一个动作，两个木偶都会被牵动着做同样的动作。

人像模型、图形和玉米芽

人像模型和人影的图形通常可以作为一动不动的人物的替代品，比如守城的战士、阅兵式上的士兵或听演讲的人群等，这都是不用动的人物。为了使这些人显得跟真的似的，通常会在前排让真正的演员站在那里，而后排则大量使用人像模型和人影的图

形。有时也会安排在模型中间站一两名真人，在那里稍微做一两下动作，来吸引观众的视线，使整个场面显得更加真实可信。

这些人像模型离摄像机镜头越远，就越不需要对它们进行细化的处理。如果你从足球场看台的最后一排那么远的距离看向场内，就只能看到模模糊糊的人头的轮廓，根本看不清他们的容貌。所以，在从这

个角度拍摄时，摆在场内的人像模型就不需要身体和面容，而如果把整个足球场做个模型，染上色的玉米芽都可以冒充人脑袋。在电影《星球大战前传之魅影危机》中，这种用玉米芽的模型冒充人群的技术被使用得非常成功。

在电影特技的历史上，模型制作占有重要的地位。让我们好好看一看这一电影特技的重要组成部分到底有哪些奇特之处。

模型的魔术

你需要做出一个名叫“死星”的星球来打击反叛势力吗？你想让自行车驮着小男孩和走失的外星人飞向天空吗？你想看到充满敌意的外星人轰炸白宫吗？

电影制作总是充满这样的挑战——那些场景总是不可能制作出来，要是真的拍摄起来，就会因为太危险或成本太昂贵而根本无法实现拍摄。

上述所有这些问题的解决之道就是搭建模型。这些模型有时叫作“微缩模型”。但是，这一称呼容易造成误解，让人以为模型都是小型的。其实，电影特技中使用的微缩模型有时候在外形上十分巨大，其中有些简直就是庞然大物。虽然有时为了拍摄某个镜头，一个建筑模型可能只有几厘米高，可是，为了拍摄另一个镜头，同样一座建筑物的模型就可能比一个人还要高。

为什么用模型进行拍摄

电影画面的尺寸其实依赖于银幕的尺寸，而不是真实生活中物体的实际尺寸。所以，这一分钟电影银幕也许只有克劳丽亚·拉维洛特的一张脸，下一分钟就会被一只大老鼠代替，而再接下来也许就变成20吨的大卡车了。

这真是部稀奇古怪的电影！

你在看电影时，总是会认为银幕上的每件物体的大小都与真实生活中是一样的。这在一定程度上是因为你的大脑事先已经假定银幕上的任何东西都是正常的尺寸，除非有事实让你改变这一固定的想法。另外，还有一部分原因是因为即使不事先认定它是真实的，银幕上也会有一些参照物帮你认定它的大小——比如，你会比较克劳丽亚和玻璃杯、大老鼠和水瓶子、卡车和树的相对大小。

现在，假设把大老鼠大小不变地放到卡车那幅画面上。

这下子，你的大脑就开始劲头十足地工作了。你事先可从未想过能见到这样的画面，于是，你会开动脑筋想……

a) 大鼠星球进攻地球了，或者是……

b) 大老鼠遇上了玩具卡车。

你的大脑会为证实这两种可能性而拼命寻找新的线索，你会在银幕上找到其他物体，来帮助自己判断这两个主要物体到底有多大。

如果我们在大老鼠身边添上一两朵花，那就一定是有关玩具卡车的电影画面了。

如果我们在背景里加上一棵树，或加一间房子，那么，你可能就会开始躲在沙发垫子后面尖叫了。

现在，请你从一名普通观众的身份中挣脱出来，重新来担当电影制作人的角色吧。剧本要求的是要拍大老鼠入侵地球的戏，可是以前没有人做过这种特技。

你唯一的希望就是用自己心爱的宠物老鼠（它已经有点超重了，可看上去一点也不凶）和模型卡车来完成这场戏。怎样才能使这场老鼠入侵地球的戏活灵活现，令观众信服呢？

首先，你得知道自己从来没有欺骗过观众。人人都知道生活中肯定没这回事，可观众来看电影就是准备来好好娱乐一番的。他们乐于把自己的疑心暂时收藏起来，一心一意关注着所看到的故事情节，对银幕上的一切他们都不愿怀疑。

做到让老鼠看起来是真实的对你来讲不是问题。如果卡车和四周景物都显得真实可信，那么老鼠看起来就足够巨大了。装饰更细致的模型可以使你有更多的机会让观众相信你的作品。

你可以用下面这几种导演们爱用的方法提高自己作品的可信度。

确保让观众看不清楚模型

如果观众看不清楚模型，就不会认为哪里有问题。这就是为什么电影中那些怪物总是在半夜或薄雾中袭击人类的原因。

在雨水中袭击当然也能产生同样的效果，但是，水中接电却可能引起触电和短路事故。

确保让观众不能长时间看到模型

卡车在眼前一闪而过，接着是一组巨大的爪子猛力拍碎前挡风玻璃的镜头——这一表现手法比拍摄大老鼠长时间地趴在卡车顶上更容易令人信服。如果拍摄某一镜头不得不持续很长时间，那就不停地晃动摄像机，使镜头不能长久地聚焦到模型上。

在画面中增加人物活动

如果你能在画面中加上一些极小的人正尖叫奔跑的形象，就会使画面显得更加真实可信了。这些人物的大小尺寸可以把大老鼠衬托得更加庞大，人物的动作吸引了观众的目光，让他们不再注意卡车和其他景致是否真实。要想做出这种效果，你可以在一个蓝色的背景前拍摄人尖叫奔跑的形象，在后期制作时把他们的图像合成到主画面上去。

要达到这样的效果，还有一种简便方法，不需要任何技术，只需要一些非常精巧的模型建筑物和足够大的空间即可。它依靠的是远景透视的方法——这种特技效果是把被拍摄的物体放到离摄像机很远的地方，让它们从镜头里看起来比正常的物体要小很多。

▶ 首先，制作模型布景时在后面留出一个豁口。

▶ 找一些演员（越矮越好），让他们站在豁口的后面足够远的地方，从镜头里看起来，他们的大小要和旁边模型汽车的大小正好相匹配。

▶ 在演员的四周布置一些景物，让它们与已制作好的布景相匹配。

▶ 现在，开始拍摄吧，告诉演员们尖叫着跑起来。如果你将上述每件事都认真做好了，那么这些演员看起来就像在你的布景里面奔跑一样。

制作模型和剪草

为特技效果制作道具模型，是一件需要技巧和耐心的事，还得有勇气面对自已花几个星期精心制作的模型在几秒钟内就被彻底摧毁的残酷现实。我们在银幕上看到的大量被摧毁的物体都是用模型制作成的。

只有极少数电影有足够高的预算，可以花大把的钱炸毁真的直升机。当然，如果拍摄炸毁白宫或国会大楼的镜头，你可不能来真的，要不警察非把你抓起来不可。

模型需要很长时间去制作，所以模型制作者们总是希望把模型做得小一些。按照正常的比例，在拍摄爆炸镜头的时候，把普通玩具娃娃的家具放在特制的相同比例的建筑物模型里，爆炸起来会增加真实感。塑料做成的木桶模型可以冒充太空船的外形，一管牙膏的盖子可以当做微型的花盆，发挥点聪明才智和想象力，网球在制作者的眼里可以变成任何异国的植物。

细节的部分常常是最花费制作时间的，电影《复仇者》在拍摄时，一个模型解决了一组地下爆炸镜头的拍摄难题。导演要求的效果是让观众看到地表由于地下爆炸产生的微波，就像池塘水面的涟漪。剧情要求这一片地面有草坪覆盖着，当然，模型表面也得覆盖上草。所以，好几个人用了好几天时间，剪出了与真草一样的人造草。尽管他们付出了极大的努力，但是，非常不走运的是，后来，在电影制作完成时，这部分镜头因为种种原因，被剪辑掉了！这也是每一个电影人必须经常面对的一种情况。

拍摄模型

对于所有的特技来说，一个模型做得是否成功，在很大程度上取决于对它进行拍摄的技巧。摄影机镜头的拍摄角度和灯光效果与模型是否真实可信有直接关系。另外，较高的剪接技术可以隐藏模型画面和实景画面的连接处，让模型看上去更加真实。

制造距离感

如果远眺群山和建筑物，那么你看它们一定不如看近处的物体清楚。如果你制造出远山或远处建筑物的模型景观，而用普通的灯光来进行拍摄，那么它们看起来就会极其清晰，让人一看就知道是假的。

为了让这种模型景观看起来跟真的一样，特技工作人员必须给这些假景添上真正的雾气。要达到这一目的，第一种方法就是利用制烟机喷射出一小股烟雾来；第二种方法则是在摄影机和山景之间加一层极细的纱布或网子。任何东西只要隔着纱布看都像是隔了层雾。

使动作更真实

因为模型比生活中真实的东西要小，所以它们移动起来就不能像实物那样自然。一部模型汽车从模型悬崖上掉下来，只会落下很短的距离就会到底，所以它着地太快了。一条10厘米长的小船要被炸毁，在时间上比一条200米长的大船要短得多。小海浪移动得也要比大浪快。这些都会让观众看出它们是模型，除非你在拍摄时细心地解决这些问题。

解决之道就是想办法使动作的速度慢下来——这意味着得用比每秒24格还要快的速度来拍摄每一个动作。适当的速度取决于模型的大小与实物的比例。

假设我们要拍摄的《大鼠星球的进攻》一片，有个镜头是卡车载着大老鼠一起冲下了悬崖，我们得给大老鼠做个用布填充起来的替身，它将用1秒钟的时间掉到崖底。如果我们用每秒240格的速度拍摄这组镜头，那么在银幕上这一坠崖过程将持续10秒钟，最终看起来会很真实。

用这么高的速度拍摄，会使每一格画面的曝光时间都极短。这意味着曝光时的光线必须极强，才能保证画面的高质量。但是，这就带来一个问题——过强的光线引发的热量可能会熔化塑料和颜料。所以，在进行这样的高速拍摄时，特技人员只会在实

拍时才打开所有的灯光，否则在还没正式使用这些模型之前，强光的热量就会将它们摧毁了。

特技效果的挑战

在《大鼠星球的进攻》一片的结尾处，大鼠的太空船吸着剩下的大老鼠冲向空中。为了遵守动物保护法规，你不能用真正的动物和真空吸尘器来完成拍摄。想想看，你怎么才能在不伤害一只老鼠的情况下，用一个模型达到逼真的艺术效果？

在熟练掌握了模型制作技巧之后，现在，你还应学会另一项有关特技效果的重要技能——那就是制造自己想要的天气。

答案

第一种方法是，制造一部倒置的太空船模型，在倒置的地面上，用容易移动的小钉子钉上模型老鼠，好让它们暂时不会头朝下掉下来。当需要用高速拍摄时，把小钉子拔下来，让模型老鼠一一落入太空船模型。

第二种方法是，先拍摄模型老鼠从太空船模型里掉出来，然后倒着放映出来。需要注意的是，如果有的模型老鼠掉下来后从地上反弹起来，或是大头朝上着的地，或是一着地鼻头就被树枝刺穿，那么整个镜头就被破坏了，还得重拍。所以，在拍摄之前，你还得精心策划一下，以防这些问题的发生。

特技效果这一行最了不起的地方就在于永远没有固定的表现形式，只要能达到拍摄效果，你想什么办法都行。或许，你还可以找到比这更好的方法。

天气变化随心所欲

天气在电影情节里往往担当着重要的角色，但拍摄时的天气状况却不可能恰恰是导演想要的天气。而且，在舞台上，根本不能让天气变化来参与情节发展。所以，制作自己想要的天气，让天气变化随心所欲，就成了特技效果制作的一项重要工作，有人把它称为“大气干扰”。

雾

雾是特技效果的最佳制造者。它可以烘托气氛，显现人物的轻盈姿态，还可遮掩住一些布景用的绳索。

制造雾有两种最常用的方法。第一种是用冻结的二氧化碳（俗称“干冰”）制作。当干冰升华时，会产生出一层薄薄的水蒸气，这种水蒸气因为本身混合着二氧化碳，所以比空气重一些，会往下沉，在地表形成一层雾气。

第二种方法是把某种化学品（通常是油或药用甘油）装入特别设计的造烟机里，让它放出雾来，在室外拍摄时，就要用军队士兵放烟雾弹的原理，把雾造出来。这样造出来的雾和真雾一样，会飘散在空中，不会像第一种方法形成的雾一样，只停留在地表。

了解这两种雾的不同之处十分重要，否则，像下面这段在人造雾中的舞蹈，就可能变成在豌豆汤一样的雾气中洗澡了。

同样重要的是，不要用太多的干冰来造雾，以避免出现下面这种情况：

在室外拍摄时，雾的作用会很大。早晨的薄雾可以为情节增添浪漫的气氛，战火中的烟雾可以增加战争的真实感。但是，由于它很容易随风散去，所以，突然改变的风向也可能造成大问题。

风

用电扇造风是最简单的方法，一款最常用的家用电扇就可以制造出令人信服的微风效果。但是，要想制造更大的风，就得靠特别设计的鼓风机来操作了，鼓风机经常用于普通电影的拍摄工作。

雨

不知你注意过没有，电影里的雨常常显得特别大。这主要是因为大雨比牛毛细雨在银幕上更引人注目。小雨在电影里不常用。

从理论上说，在后期制作中用电脑给画面加上雨水是可以实现的。但是，它不能淋湿演员的身体，骗不过观众的眼睛。所以，在电影里，常用的制造雨的方法是将水喷向天空，让它从空中落到演员身上。一根普通的水管子就可以帮助完成雨中的特写镜头了。在拍摄大雨的场景时，会将许多水管集合绑在一起，形成一种叫“多雨头”的装置，用它来造雨，效果会更好。再加上一部鼓风机配合使用，就可以把一场大雨变成大暴雨。

造雨的最大问题就是不仅演员会被淋湿，你还必须小心保护好所有的电器设备，确保摄影机镜头不被打湿。

所有道具也都需要进行防水保护，否则就可能在需要用的时候发现坏掉了。

演员被淋湿的最好的表现方式，是让演员湿漉漉地上台，暗示他刚从倾盆大雨中走过来。你可以用声音特效来增加观众对下雨的印象，如果不得不表现下雨，就只能用下面这种装置在门口造雨：

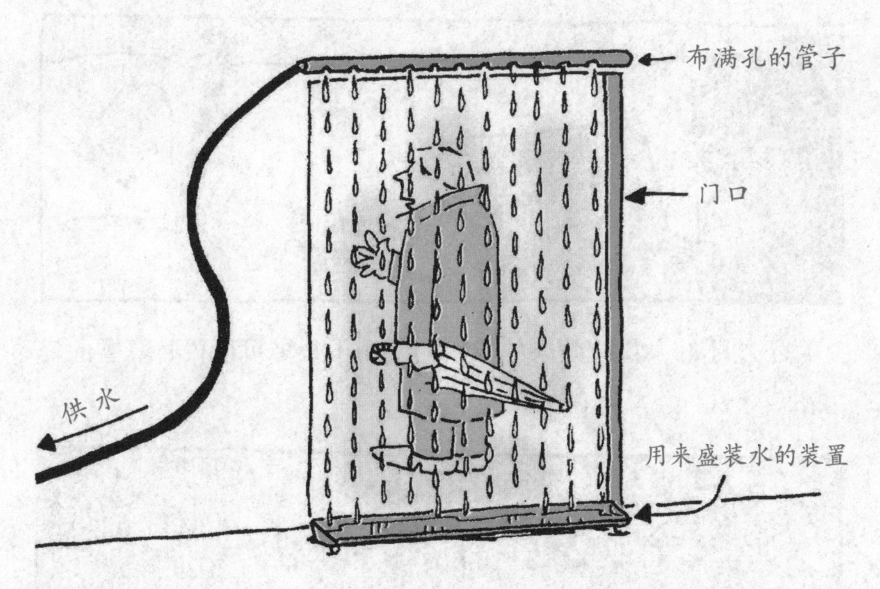

雪

雪简直是一些电影的灵魂。在关于圣诞节的电影里，雪极大地增加了节日气氛。在表现极地故事的电影里，雪就是一切。在“007系列”的影片里，詹姆斯·邦德曾经滑雪穿越群山，躲过持枪人的追杀。虽然雪在电影里的作用很大，可在拍摄时，真雪会造成麻烦。

▶ 不是总能赶上下雪，尤其是夏天，别指望能有真雪。

▶ 在拍摄现场，在灯光的照射下，雪会融化。

▶ 雪地太滑，演员容易滑倒。

▶ 假使你要拍摄一个人首次到达南极的画面，可是你拍了10次都还没拍好，那么雪地上的一大堆脚印会让你没法再表现主人公是首次到达南极的。

不过还好，特技效果的专家们发明了很多可以代替真雪的好方法。

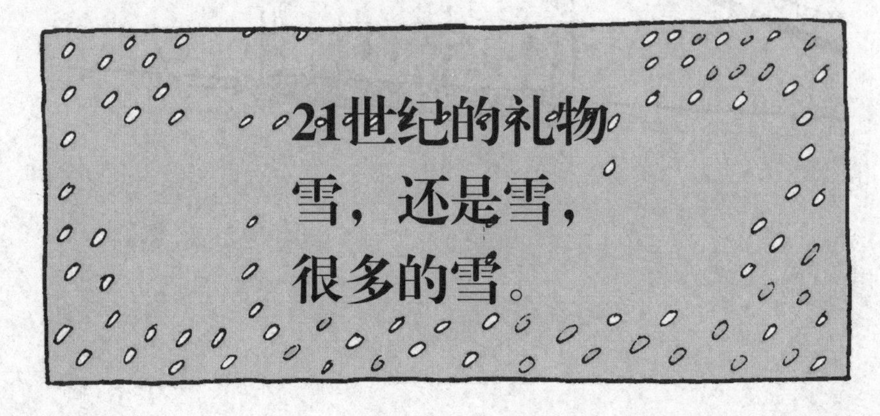

角色安排表

粗粒盐：很多年以前，因为粗粒盐看上去很像大块的水晶，踩在脚下还发出嘎吱嘎吱的声音，人们喜欢用它来假装雪。现在，因为它会破坏环境，人们总是拿它做环境保护的反面教材来用。

碎冰块：把大块的冰放入造雪机，可以制出碎冰块。它看起来与真雪很像，只是因为它容易融化成水，所以很难在室内用。

纸雪：看上去较真实，不会融化，还是可生物降解的。

塑料雪：不可生物降解，清洁起来很麻烦，更适合在电影片场里使用。

淀粉雪：适合于气候多变的地区，但是被弄湿之后就会变得又滑又黏。

泡沫雪：非常便宜，而且很好铺设。只是作为大雪的背景，不是特别像。

电脑制雪：可以在后期制作时，往屋顶或其他难接近的地点加上雪。有的雪景是在温暖的片场内部拍摄出来的，用电脑还可以加上人物嘴中呼出的哈气，使画面更加真实可信。

到底在实际拍摄中用以上的哪些雪，取决于电影在哪里拍摄，雪景需要用多长时间以及预算中有多少钱可以花在造雪上。当需要往地面铺雪时，可以先用白色的布单盖住地面，这样可以适当地减少铺设量，拍完后收拾起来也很简便。

许多电影的雪景都是一次同时使用多种造雪方式，并把各种假雪景合成在一起，让人看到一个壮观的宏大雪景。在电视剧《X档案》的结尾处，马德和斯古勒在一片大雪覆盖的不毛之地上行走。这一画面是把冰川的真景与在布置好假雪的片场里拍的人物在后期制作时合成的，而在片场布置的前景里，还加了碎冰块以

增添真实感。拍摄时一定得注意对冰块的冷藏，以减慢它在片场灯光的照射下的融化速度。而当它们渐渐融化后，还得不断补充新的冰块和不断地使用排水系统运走融化的水。

现在，你已经了解了布景、道具模型和天气制作，是增加实际操作的时候了。现在，让我们设计一个英雄、美女和一帮坏蛋遭遇后发生的故事。

宏大的战斗场面

剧本

汉斯·汉克和克劳丽亚·拉维洛特在一家饭馆共进午餐。他们俩刚想隔着桌子接个吻，突然，三个来自大鼠星球的打手袭击了汉斯。其中一个抡起椅子砸向汉斯，椅子马上成了碎片。汉斯一下子跳了起来，追打着这名袭击者，一直追到楼上，一脚把这小子踢了下去，楼梯栏杆就此也被撞掉了一大片，打人的坏蛋重重地摔在楼下的地板上。

这个剧本片断你必须仔细阅读10遍以上。这一场景，几乎在每部动作片里都能看得到。它要设计出恰当的道具，让它们一打就碎，还不会伤到人。

首先，让我们先看看那把椅子吧。如果那是把真椅子，砸下来以后，碎的一定不是椅子，而是汉斯的脑袋。在实际拍摄时，我们需要一把非常轻的、很不结实的椅子，以便一砸就碎。你可以用非常轻的薄木片来制作，也可以选用染好色的泡沫塑料或聚苯乙烯。

楼梯栏杆是另一项重要道具。真正的栏杆必须非常结实，以保护人们不会摔下楼，但这一场景中的栏杆可不能结实，得用特制的栏杆。所有你希望到时候断裂的连接处事先都得被锯开，再用极细的木棍将它们连接在一起。这样既可以避免有人轻轻一碰它就彻底倒塌，也可以保证一下子就可以将它撞塌。

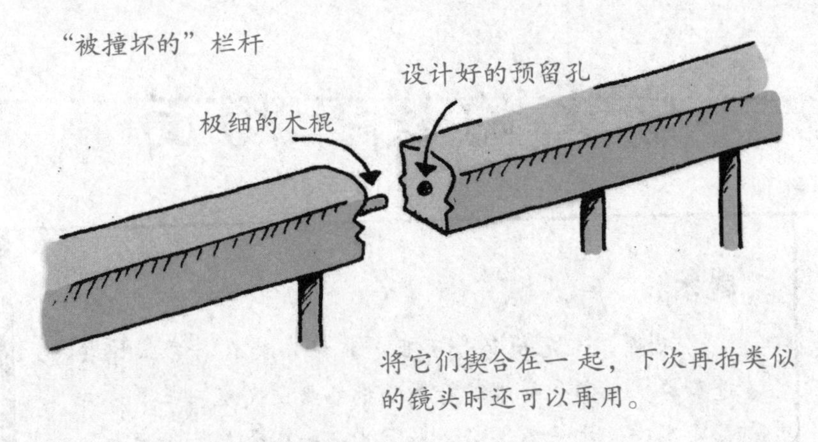

将它们楔合在一起，下次再拍类似的镜头时还可以再用。

现在，咱们再回到那家饭馆去看看：

> 剩下的那两个坏蛋同时冲向汉斯。克劳丽亚也跳起来帮忙，她手举大花瓶砸中了其中一个坏蛋的脑袋。花瓶被砸得粉碎，坏蛋被打得扭曲着身体倒在地上。

生活中的大多数花瓶不会一砸就碎成几千片，除非你用铁锤之类的坚硬工具。它们多半只会裂开个缝子，或只碎成一两片。在画面里，如果只碎成这样就太不引人注目了。你在电影里看到的粉碎的花瓶和其他瓶子都是用特殊的轻型易碎的材料制成的。蜡很好加工，也非常轻，但是它不能像真正的玻璃杯一样清澈，在高温下还会变软。更逼真也更贵一些的代用品是树脂，它既轻又安全，而且看起来很像玻璃。

如果剧情需要打破陶制的花瓶、杯子或盘子，那就事先用锤子将它们打碎，再用极少量的胶水将它们粘起来。在舞台上表演时，每次表演打破盘子后，再把它们粘回到一起，以备下回再用。这样反复使用，可以降低预算成本。

好，让我们再回到那家饭馆去看看：

汉斯和仅剩的那名歹徒搏斗，你打我一拳，我打你一拳。最后汉斯狠狠地给了那家伙一拳，那个坏蛋一下子撞碎了玻璃窗，直飞到大街上。

当然，演员们不能真的互相殴打。他们的动作是事先精心设计好的，打的时候拳头只是轻轻碰到对方的脸，或者根本没有碰着，而在摄像机镜头里，看起来则是狠狠地打中了对方。所以，当你以为看到的是这样的：

其实事实是这样的：

从玻璃窗摔出去，是非常刺激的镜头，但即使是专业特技演员也不会去撞真玻璃，那太危险了。以前传统的方法是使用糖玻璃代替真玻璃。就是先把糖煮到很高的温度，然后把熔化的糖铺在平滑的表面，最后形成的东西是一层薄薄的冰糖。它没有真正的玻璃那么清澈，质地很脆，带着黏性，还特别爱招蚂蚁。

现在常用的玻璃替代物跟道具花瓶的替代物一样，也是树脂。它非常清澈明亮，但不像玻璃那样结实，这就是它为什么那么容易被打碎的原因。当然，这也意味着把它安在窗框里后，也是很不结实的。所以在搬运和安装时都要十分小心。树脂玻璃越大，搬运和安装起来就越麻烦。这就是为什么演员撞碎的玻璃一般都是这样的：

而不是这样的：

如果你没有可替代玻璃的物品，可以给观众造成有人从玻璃窗撞出去的假象，而不用实际去拍摄它。你可以这样做：

镜头1

有人倒着被打飞了。

镜头2

拍个演员尖叫的特写镜头，背景配音是玻璃破碎的声音。

镜头3

一个破碎玻璃的镜头——清楚地展示出玻璃从中破碎的形象。

倒塌的布景

有时你不希望道具被损坏，只是想让它在关键时刻倒塌。那么，各种绳子和细线在制造这样的特技效果时就非常有用了。

那个从楼梯栏杆摔下去的坏蛋又挣扎着站了起来，穷凶极恶地向汉斯冲了过去。汉斯一抬手就把他推到墙边。这个坏蛋撞翻了墙上的架子，然后滑到地面上缩成一团，架子上的瓶瓶罐罐全掉下来，砸在他的身上。

这些瓶瓶罐罐当然是很轻的。而那个架子得经过特殊的设计，才能在必要的时刻倒塌下来。

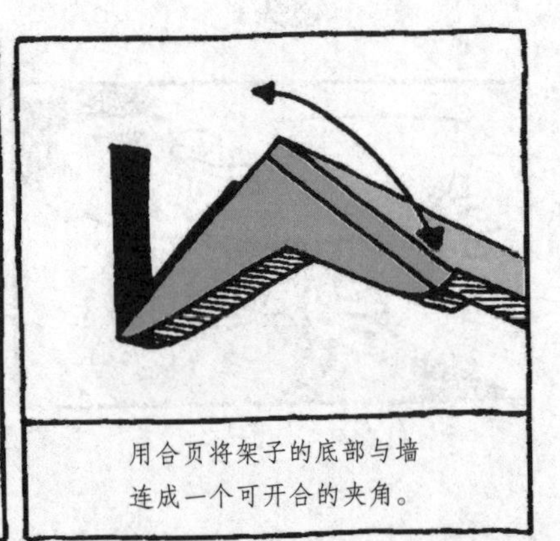

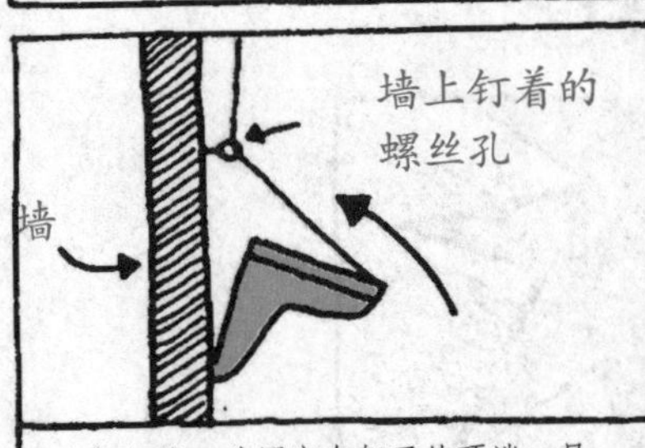

把细线一头固定在架子的顶端，另一头穿过墙上钉着的螺丝孔。当拽紧细线时，就可以把架子固定在墙面上（如果架子比较大，那么需要的细线就还要多几根）。

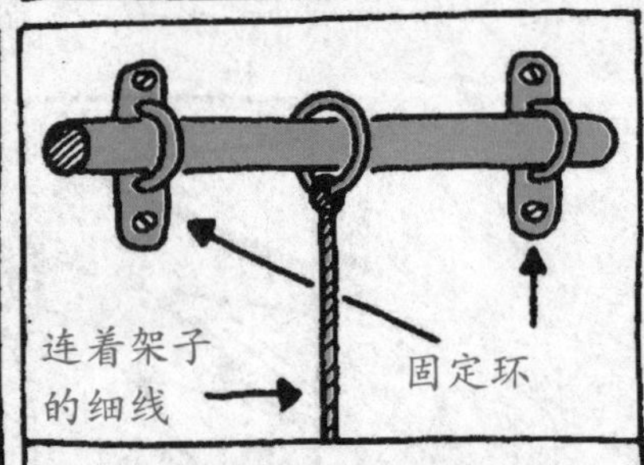

把细线的另一端固定到镜头里看不到的地方——系一个扣，套在一根小棒子上，再将小棒子用固定环固定在墙上。

当你抽出小棒子后，细线一下子松了，架子马上就会塌下来。架子上堆积的各种轻质的、空的瓶瓶罐罐便纷纷掉下来，不但具有很强的视觉效果，而且还遮掩住了细线。

汉斯漫不经心地轻轻掸去裤子上的灰尘，然后搂着克劳丽亚走出饭馆。在经过一盆花旁边的时候，他顺手把酒杯里的酒倒进了花盆。艳丽的花马上枯萎了——坏蛋们已在酒里下了毒。

为了制作这一道具，你需要下面的工具：

▶ 一根染成绿色的塑料吸管。

▶ 一条穿过吸管的又细又坚固的线。

▶ 一枝花（真的假的都行）。

▶ 一个花盆。

1. 剪断吸管，使它的长度足够冒充花茎。

2. 将线穿过吸管，不但要完全穿过去，还要在一端留下足够的长度，让它能一直穿到花盆底部以下。

3. 把花固定在吸管的一端。

4. 把吸管的另一端固定在花盆里，并把中间的细线从花盆底部穿出。

5. 拽紧细线，花就马上垂下了头。

6. 在舞台上用这一道具时，必须有个人藏在花盆附近，准备到时候去拽细线。

水，到处都是水

水是公认的难以用电影形式来表现的物体，它经常让导演陷入绝望的泥潭。

导演的求救信

亲爱的安提·莫瑞尔：

在我最近拍的一部电影里，需要大量水的镜头，这简直比所有演员加在一起都让我烦恼。我们所有的人一起试图把大量的水存在一个地方，可它还是从一个极小极小的洞洞里流光了，而且，这些水在镜头里也没什么效果。

水能导电，而且平淡得没有任何表现力，它的这些特性简直让我陷入了噩梦中。特别是在镜头前的时候，它好像根本不可能产生出一点波纹来，水的量再大好像也不行，我即使用了慢镜头来表现，也还是没有动感的效果。

最可恶的是，有时候戏拍到一半时，水就变了个样，不再给你工作了，你还很容易一不小心就被它弄得又湿又冷，气死我了！

救命啊，帮帮我吧。

绝望的、烦恼的导演

亲爱的“烦恼的导演”：

别烦恼了，所有的导演都会遇到同样的问题，水的戏是很难拍的。不过，我发现了一本名叫《电影特技魔法秀》的书，我劝你好好读读这本书里关于水的章节，看看人家是怎么在沙漠里巧妙地安排利用水的。这对你下部要拍的片子应该会有帮助。

你的可信任的：安提·莫瑞尔

游泳池的妙用

有人在湖水、河水或海水里的镜头，通常是在片场的大游泳池里拍摄的。这种游泳池浅得只要能站着就行了。所以，下面这个镜头里的人其实非常安全。

为了增加真实性，用鼓风机和造浪机就可以在游泳池里制造出逼真的风浪来。或者，放在镜头之外的发动机可以把水搅拌得翻腾起来，就好像湍急的河水一样。

就像其片名一样，电影《完美风暴》里用了极其多的风暴的特技效果。虽然其中大量波浪滔天的画面都是用电脑后加上去的，但那些近景和特写镜头则是在巨大的室内游泳池里，在真正的小艇上拍摄成的。当巨浪打来时，小艇就很真实地起伏摇摆，人造的雨倾盆而下，喷水枪里的水像小瀑布一样砸在小艇上，演员完全被淋了个透。

人鱼和潜水艇

更深一些的游泳池可以帮助人们拍摄水下的镜头。如果把它的一个侧面改装成玻璃的材质，摄影师们就可以避免被弄湿了。而如果要进入游泳池进行水下拍摄，则要使用特制的防水摄影机，摄影师还得带上水肺（水中呼吸器）设备才能下水拍摄。为了表现出演员能像人鱼一样在水下自由呼吸的效果，拍摄的镜头必须分成多个小段，在每个小段之间，演员可以用水中呼吸器喘口气。这种拍摄形式很特殊，它带有一定的危险性，所以应该使用专业的水下拍摄人员和经过专门训练的演员。

还有一种方法可以进行水下拍摄，就是根本不用水。在拍摄潜水艇时，对着小模型来拍，只要用好烟雾和灯光的效果，就能拍得和真的一样。电影《星球大战前传之魅影危机》中的水下镜头就是这样拍摄的，其中的水下生物和一些潜艇的形象都是后期制作时加上去的。

当然，如果你只是用爸爸的家用摄像机拍一部低成本的片子，那就可以试试用鱼缸来拍水下镜头……但是，那会显得不特别真实。

安排航行

你也许看过这样的电影：水中航船的镜头很假，一看就知道是玩具船漂在澡盆里。这还是老生常谈的水的问题造成的——小波浪怎么看怎么不像真的。

拍摄水中航船的镜头时，最常用的方法是拍摄一艘真船，或在开阔的水域拍摄一艘跟真船一样大的模型船。这一方法可以使拍摄出的镜头真实可信，但它受天气的影响太大了。大海的景象瞬息万变，这给不同时候拍摄的镜头的相互连接造成极大的困难。

第二种方法是用模型来拍摄。那你就得根据预算经费把模型船做得尽量大，游泳池也要尽可能找足够大的。模型越大，就越像真的，特别是先用高速摄影机拍摄，再用较慢速度放映。

第三种方法是使用模型船来拍摄，在后期制作时加上水。电脑制作的水的画面，无论在何时都可以相互连接得上，电脑技术提高得越快，这种方法就越吃香。如果你再大胆一点，甚至可以连模型船都不用，干脆用电脑合成船的形象。

沉船的感觉

沉船的场面是非常壮观同时也是非常危险的。很多影片都有过沉船的画面，所以这一场面也没什么稀奇的。电影《宾虚传》里有大型意大利帆船沉没的镜头。这是一部默片，它制作了甲板上能站400人的真船大小的模型。当拍摄大船着火沉没的镜头时，每个演员都被问到会不会游泳，有些本不会游泳的人实在太想上电影了，就撒谎说自己会游泳。结果，船在下沉时甲板上人们惊慌失措的样子根本不是装出来的，救生船一直在忙着打捞真的不会游泳的落水者。

到1959年，电影工业已朝着越来越安全的方向有了较大的发展，那些海上战争的场面，大多使用了模型，所以，不用再让演员去冒险落水了。那些模型人点缀在大船的某些部位上，整体效果不错。

在拍摄电影《大白鲨》时，史蒂芬·斯皮尔伯格决定全部在海上实景拍摄所有的船，避免用模型拍摄带来的不真实感。为了拍摄最后捕鲨者的船沉入海底的镜头，特技队在游泳池里放了一艘真船大小的特制船，靠往里加水或加气来控制它的上升和下沉。这样，沉船的镜头就可以反复多拍几回，直到导演满意为止了。

泰坦尼克

历史上最著名的海难事故是1912年“泰坦尼克号”在首航中撞冰山沉没。这一事件给电影《泰坦尼克号》带来拍摄灵感。《泰坦尼克号》花了2亿美元制作费，是历史上成本最高的电影。特技效果之多、水平之高是这部影片花钱多的一个重要原因——其中用大量的数码技术制造出落水的人物形象，大量水的画面以及水下的烟雾。

为了拍摄大船沉没的画面，《泰坦尼克号》的导演詹姆斯·卡梅隆要求特技人员照原尺寸制作一艘大船的一半，所有细节都与真船一样，只不过因为窄了很多，可以节约大量的物力和财力。他们制造的是大船的右半边，但是，有一些情节是在船的左半边发生的，大船被紧紧系在南安普顿码头上，船的左半边背对着码头。

现在，让我们检验一下你的特技制作水平。如果你是詹姆斯·卡梅隆，会怎么解决这个问题?

詹姆斯·卡梅隆的解决方法是用摄影机变魔术。他先拍摄船的右半边，再将它左右翻转过来放映，观众看到的船就像从镜子看东西时一样，船的右半边变成左半边了。当然，这会造成男女主角所在的镜头里出现ɔinatiT。所以，置景人员要先倒着写这个字，等翻过来放映的时候，从银幕上看，字就正过来了。

大船是成段地造出来的，中间那段是特制出来的，正好可以拍摄出船下沉的过程。船的后半段造出来时就是倾斜着的，看起来就像在斜着下沉的样子。为了让倾斜的大船看起来更壮观，特技演员必须从倾斜的船上滑下来，看起来好像是落入了死亡的深渊。为了避免伤害到演员，那些有可能被撞到的绞盘之类的坚硬物体都是用上了颜色的泡沫制成的，看起来好像很坚硬的样子。

要拍摄沉船发生时船舱内的镜头，就得让整个布景沉入游泳池里。这时候，水会缓缓地漫上来，渐渐淹没船舱内的布景，看上去就像真的在沉船里一样。在每一个镜头的拍摄间隙，这些布景会被一次次地打捞上来，晾干后重新整修，以备再拍下一个镜头。演员们也同时晾干衣服，重新化装后，再次投入拍摄工作。

在一些画面里，必须要有大量的水才会显得真实可信。《泰坦尼克号》中有个特别的镜头：大量的水奔腾而来，冲破一道

门，流过走廊，冲走一个大人和一名小孩。这个镜头是这么拍成的：在画面之外设置一个超大的水箱，从中一下子放出几千升的水来，大量的水冲到走廊的尽头，冲走的那个大人是由特技演员来扮演的，而那名小孩呢，则是个模型小人。

另一个比较重要的镜头是最终大量的水会冲破楼梯回廊上的圆玻璃顶篷。这组镜头本可以用小模型来拍摄，可这样一是不够真实，二是原本已有个真正的圆玻璃顶棚，它所有的镜头都已拍摄完毕，留着已无他用。所以，在实拍时，特技效果制作人员把几千升水从真正的圆玻璃顶棚上泼了下去，彻底冲毁了精美的玻璃，最终完成了这场效果逼真的戏。

在电影《泰坦尼克号》里，水是极其重要的组成部分，它原本非常难以控制，更加难以拍摄，但是特技效果的制作人员却成功地驾驭了水。

除了水之外，还有一种难以驾驭的东西摆在特技效果制作人员的面前，那就是魔鬼、外星人之类的怪物到底该怎么表现，这给他们又出了一道难题。

警告

不要在家试着搞这样的特技，否则将严重损害你和父母之间的关系。

制作怪物

在我们的地球上，生活着无数种不同形态的生命体，其中只有极小的一部分与我们人的形态差不多。我们是唯一长期用下肢直立行走的生物。

人们总是幻想着在这个宇宙里，存在着其他古怪的生命体。电影电视里也不断地播出外形和人的基本形态差不太多的外星人之类的怪物形象。它们可能比我们多长了一只角、一只胳膊或一只眼睛。这并不是因为那些导演比我们掌握更多的宇宙的知识，而是因为让演员穿上怪物的外套假装外星人是件再简单不过的事。

有的电影抓住外星怪物比较容易拍摄这一优势，获得了很好的效果。电影《星舰迷航记》里的外星人都是由长着怪面孔的真人来扮演的，演员的化装非常成功，他们往往需要化很长时间的装才能变成外星人的模样。

拍摄外星人的片子并不需要花很多的钱。外星怪物长得和我们很不一样，它们总是显得特别不真实，特别凶恶。这就是为什么“神秘博士”最怕的对手只能是“戴立克”的原因。机器人“戴立克”主宰整个宇宙的阴谋已经被彻底挫败，可它还是得学着对付楼梯的挑战。

并不是所有拍摄外星人的影片都能像《星舰迷航记》那样成功。在有些影片里，那些怪物一看就知道是人装的，观众嘲笑的时间比惊声尖叫的时间还要长。而有的电影却获得了特别惊人的成功。在电影《决战猩球》里，那些类人猿虽然不是真实布景里的怪物，却显得极其逼真，电影《人猿泰山》里的人猿泰山看起来简直就是由真正的动物来扮演的。

那么，怎么才能让拍摄的怪物看起来不像人装扮的呢？

方法1：不要让观众看到怪物的全貌。

粗重的喘气声、时隐时现的影子、不时闪现出来的抓着被害人的大爪子……这些形象的集合远比穿着戏服的怪物的全景真实可信得多。

方法2：使用特殊体形的演员。

在这个世界上，不是所有的人都长着标准的体形，使用一名比常人矮很多、极其瘦小或其他方面与常人不同的演员，可以帮助你创造出一个与众不同的外星人形象。这一方法曾成功地塑造了电影《星球大战3之绝地大反击》里的伊维克斯和《神秘博士》里的没腿的外星人形象。

方法3：不止使用一名演员。

一旦你让两名以上的演员一起装扮成一个怪物，就突破了怪物长两只胳膊、两条腿的局限。

两名演员如果这样：

这样就可以创造一个四条腿的怪物。它走起路来是那么可笑，最适合在哑剧或恐怖电影里出演角色。你看，它像不像一只巨大的怪物老鼠？

如果同样还是这两个人，让他们站得特别近，你就可以创造出长着四只胳膊的怪物。这一方法在电影《异形复活》里用来表现外星人的皇后。你还可以用它来表现一只怪物大蜘蛛。

方法4：设计一种特殊的戏服，让人看不出还有演员在里边。

假设你想制造出一个这样的怪物：

扮演它的演员是这样的：

先在演员的肚子处安置一些泡沫，让他变成胖子，再在他的肩膀上也放一些，让他显得高一点，腿上还得来一些，让他显得再胖一点。

怪物的胳膊比演员的长得多，所以要把演员的胳膊加长，让他手里拿根长棍。扮好后，演员的手就成了怪物的胳膊肘了。

现在，给他穿上怪物的毛皮外套。这个外套的底部特别低，比演员的屁股处低多了，这显得怪物的腿特别短（别让他的腿短得过分，否则演员就没法走路了）。

最后，给演员戴上怪物的头套，这样就完成了演员变怪物的全过程。这个头套是玻璃纤维混合着棉布、乳胶和硅制成的，被安置在演员的肩膀上。怪物的嘴和眼睛是遥控的，有人在幕后操纵着。

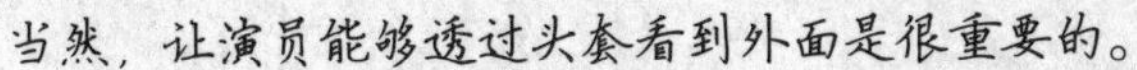
当然，让演员能够透过头套看到外面是很重要的。

在某些怪物的戏服里边，演员可以从眼睛或张开的嘴巴里看到外面。但咱们制作的这只怪物可不行，所以只能在戏服的脖子处开个洞，让演员从那里看到外面。这个洞如果用与戏服同色的网状织物补上，观众应该看不出这个破绽。因为戏服里边是黑暗的，外边是明亮的（为了验证观众看不见这个洞，你可以从明亮的一边往黑暗的一边仔细查看）。

有些时候，即使是这一巧妙的方法也难以解决问题。只有用现代科学技术才能管用。比如电影《魔幻迷宫》里的鲁杜，那是个大个子的温和的怪物。扮演它的演员在戏服里边能看到一个电子显示屏，安装在鲁杜犄角上的一个摄像头与显示屏相连接，演员可以通过这套装置看到摄像头拍到的外面的世界。

虽然这些方法都很有效，但它们还是不能完全摆脱怪物像人形的限制。如果你想自由自在地创造出任何自己喜欢的外星怪物的形象，那就不能仅让演员穿戏服这么简单，还得使用电子动画技术、电脑成像技术和逐格拍摄技术。

逐格拍摄技术简介

逐格拍摄技术和拍摄卡通片的技术在原理上完全一样，就是得先拍一系列有关模型怪物的静止画面，而不是按怪物的活动顺序拍摄。自电影《小鸡快跑》之后的很长时间里，许多儿童片，比如《小企鹅宾古》的系列片，都用这种拍摄方法在银幕上表现怪物。

用逐格拍摄技术表现怪物的第一步就是制作一个模型怪物，一定要让它能变换成任意形状——可以用金属制作骨架子，用泡沫制作外皮。要想让这只怪物张开大嘴，正在吼叫，可以这样拍：

第一步：拍一张它闭着嘴静止的照片。

第二步：让它的嘴微微张开一点点。

第三步：再对着微张着嘴的怪物拍一张照片。

第四步：让它的嘴再张大一点点。

不断地进行上面这一系列工作，直至完成拍摄。这一工作会持续很长一段时间——在放映时，每秒钟会放出24张这样做出来的不同的画面。

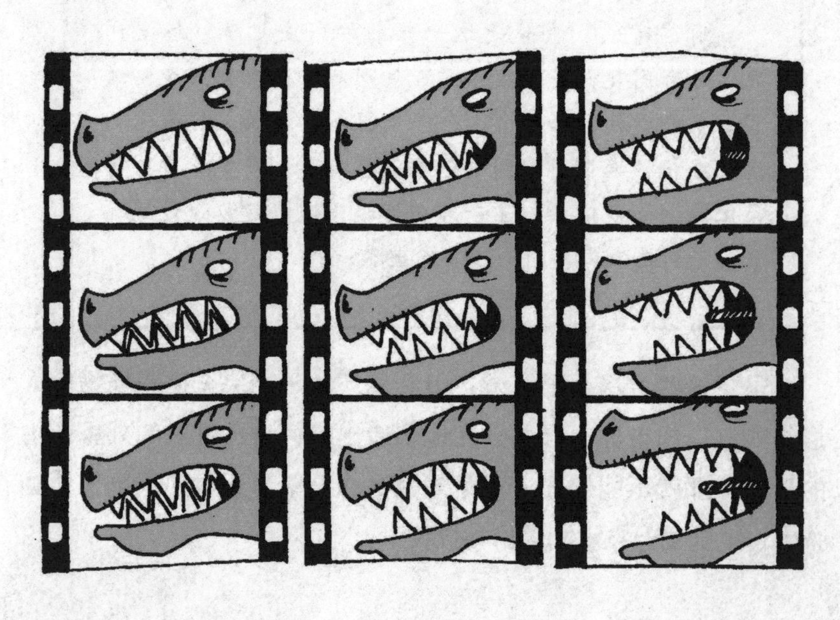

如果你用电影放映机播放这些画面，那么画面上的怪物看上去就正在活灵活现地张大它的嘴。给这一画面加上号叫的声音效果，在后期制作时加上一些微型的人物形象来衬托，你最终在银幕上看到的将是一只巨大的、吼叫着的怪物形象。

但是，逐格拍摄技术存在着一个致命问题——每一格画面都显得过于清晰完美了。要知道，用普通的方法拍摄时，如果你拍摄的是一个人在走路，那么拍摄每一格活动的画面都会有轻微的模糊，这种模糊感使走路的动作看起来很自然。而如果用逐格拍摄的方法，那么拍摄每一个独立的画面时，怪物的形象都是相对静止的，这意味着每一格独立的画面都极其清晰。由于缺少模糊感，人物的动作看上去就像是抽了筋，极不自然。这一致命问题对动画片来讲关系不大，比如电影《小鸡快跑》，因为在同一画面里，你没有参照物可比较。但是，如果你把真人的形象与这种动画加在同一个画面里，那它看起来永远不可能真实。

虽然存在这一问题，逐格拍摄技术过去还是被广泛地使用着，因为没有其他可用的方法。是逐格拍摄技术创造出了金刚的形象，电影《杰森王子战群妖》里的怪物和电影《帝国反击》中飞跃平原的雪地战士都是用逐格拍摄技术拍摄出来的。这一技术也不仅限于拍摄怪物，在进行危险动作时，它还用于拍摄演员的替身模型人，比如拍摄电影《魔宫传奇》里飞驰的马车的镜头时，用的也是逐格拍摄技术。而早在1937年，在电影《逍遥鬼侣》里，逐格拍摄技术就创造出一支笔自动在白纸上写字的镜头。

现在，再也没有必要将逐格拍摄技术与普通的拍摄结合在一起了。因为计算机技术有了飞速的发展，用计算机完全可以在屏幕上创造出数字怪物。

计算机的魔术

计算机的出现彻底改变了电影特技这门职业。数码绘画工具代替了刷子和颜料对背景进行描绘，不用拍摄就可以为画面加上颜色，还可以用晴朗的蓝天替代阴暗的天空。

一旦电影制作人员开始使用计算机，那么拍电影的创作重心很自然地就从制作背景向创造个性化的角色方向转换，这无疑是一种进步。世界上首部使用计算机绘制出角色的电影是1985年拍摄的《年轻的福尔摩斯》。在这部影片中，绘制在彩色玻璃上的一位武士居然活了。当时的人们认为这一角色很无聊，而且不够真实，以至于从那时起很长一段时间里，计算机工具的发展都受到了限制，远没有现在这么发达。

电影《终结者2》里的液态金属人“T1000”是第二个计算机创造的角色。在剧中，这位来自未来世界的机器人是用液态金属制成的，可以变成任何形状。在电影中，他大多数的时间里都是以警察的形象出现。扮演警察的演员叫罗伯特·派屈克。当他从一个形状变成另一个形状的时候，电脑制作的形象就会派上用场了。为了制作出液态金属质感的警察形象，特技效果制作人员在演员的脸上画上黑色的网格线，帮助计算机人员扫描出他的形状，以便录入计算机里。

用电脑制作出一个外星人，比用电脑制作一个我们熟悉的人物形象要容易得多。1993年，电影《侏罗纪公园》成功地使用了这一技术。作为最初的制作人，大导演史蒂芬·斯皮尔伯格认为，只有用电脑绘画技术，才能制作出成群的野兽形象。他计划使用传统的逐格拍摄技术拍摄其他恐龙的形象，而所有那些重要的充满动感的恐龙，都要用计算机后加上去的。

但是，作为一支著名的特技效果制作队伍，光影魔幻产业公司坚信自己能比这做得更好。他们用计算机制作的一些恐龙形象，深深打动了斯皮尔伯格，使这位大导演最终放弃了逐格拍摄的计划，而全部使用了计算机绘画来制造恐龙的形象。最后的结果是，这部电影轰动全球，同时也证明了计算机是可以用来制造怪物的。

现在，计算机成像技术已经不仅限于表现恐龙了，它被大量地用于电影和广告的拍摄中。狮子、大猩猩和其他野兽找到了自己上屏幕的绝妙办法。数字合成的人物被加入大片人群的镜头里。海上的巡逻船里，也可以用电脑加上些乘客。

创造计算机合成的形象

要想创作出一个屏幕形象，一般都先得制作出一个泥做的模型，然后把它扫描进计算机里。接下来，特技效果制作人员会研究出它如何行走，它应该是何种颜色，它身上穿的衣服应该反射回多强的光。如果他们要制作的是一只真正的动物，那么以上这些判断都要基于真正的动物是什么样的。不过，要制作外星人和怪物时，他们可以根据自己的想象自由地创作。

为了让观众相信这些数字合成的形象在影片里真的存在，就必须制作特定的环境背景。如果你想在自己影片的某个场景里加一只数字合成的大老鼠，那么当老鼠蹿过池塘时，一定要制作出它溅起的水花来。其他同镜头内的演员也得表现得好像老鼠真的就在那里一样。

电脑合成形象的光线问题可以在后期制作时解决，这时另外一种环境背景的特技效果就会派上用场。你在拍摄时，可以让下面这样一个人拿着木棍或穿着大雨鞋来帮你解决问题。

▶ 为了制作大老鼠蹿过小河时溅起的水花，可以先拍摄某人用脚在水里乱踢乱跺的镜头，然后在后期制作时，用大老鼠的形象代替这个人的形象即可。

▶ 为了制作大老鼠撞动树枝的效果，可以先拍一个人手拿大棍子沿着老鼠移动路线跑的镜头，让他边跑边敲打树枝。然后在后期制作时，把这个人和他的棍子都换成大老鼠的形象即可。

▶ 为了制作大老鼠撞塌木架子的效果，可以先建造一个前边第70页介绍过的那种折叠架子，拍摄它折起来的过程，在后期制作时加上大老鼠的即可。

▶ 为了让所有尖叫着的、奔跑着的人们眼睛都看着同一个物体，可以让一个人手拿一根大棒子，站在大老鼠应该待的地方，最好在棒子顶端放两个网球，假装怪物的眼睛。这样，每个镜头里出现的受惊吓的人目光都会投向同一物体，画面十分逼真。

如果你想让演员除了看着大老鼠，尖叫着逃走以外，还得和大老鼠在一起多做些表演，那就需要多一些人举着木棒来帮助他们。他们需要能真正与之接触的东西——他们能摸得到的，能在正确路线上移动的东西。

电影《星球大战之危机四伏》中，对于一个电脑合成的外星人“恰恰”来说，最核心的问题就是充当“恰恰”形象的演员和四周的环境背景必须精确地配合起来。为了让“恰恰”的形象真实可信，在拍摄过程中，得让个演员站在“恰恰”应该站的地方。这名演员没有“恰恰”那么高大，所以他得在头上顶一个外星人的头套，他自己的眼睛被黑板子遮住了。这是为了让其他演员和他一起表演时，眼神必须向处于高处的“恰恰”的眼睛看，而不是向这名演员看。这一镜头拍完后，在后期制作时，电脑合成的“恰恰”的图像会代替这名演员，出现在画面里。

通常情况下，演员们不需要整个怪物的形象都出现在眼前。在好多场景里，他们所需要的不过是怪物身上的一张脸、一只脚或是一条尾巴，当然它们移动起来要显得真实。制作这些东西，电子动画学专家和木偶制作专家都是行家。在电影《侏罗纪公园》和电视连续剧《与恐龙同行》里，都使用了电子动画来帮助拍摄这些特写镜头。

神奇的电子动画学

电子动画学是关于木偶的科学，而木偶的最简单的形式是用一只袜子来表现的。一名熟练的木偶戏演员把一只袜子套在手上，就可以表演活动小人了。如果给袜子加上胳膊，给胳膊加上小木杆，木偶戏演员可以用另一只手操纵小人的胳膊，给袜子小人增加一些新的动作。如果再加上头发、眼睛和嘴，就可以创造出一个个性十足的人物了。在你了解木偶表演以前，先来看看这个小木偶吧。

当然，有时候仅用袜子是远远不够的。如果你想创造出一个真实的外星怪物，那就得让它的嘴唇能随意乱动，鼻孔张得大大的，眼睛四处乱转地寻找食物。如果只是将一只手放进布袋木偶里，就不能创造出这些逼真的动作。如果你想让木偶更加鲜活地动起来，就需要一些机械方面的技术知识来帮忙了，这些知识我们称为电子动画学。

制作木偶

要想用电子动画创造人物形象，应该先从画草图开始，有时也可以先用泥捏个小模型作为设计的起步。而到了实际制作的时候，就要制作一个与实物同样大小的模型了。一般来说，这种模型是用玻璃纤维或石膏制成的。模型制作好了之后，就要在它的外表用染好颜色的树胶或硅酮制作皮肤。

模型皮肤的制作集中了全部的机械技巧，以使其最终能活动起来。制作出来的人物形象个头儿越小，向里面添加机械构造的难度就越大。所以，有时候要制作出多个同样的模型，在每个模型里面添加不同的机械构造，以使它们最终完成不同的表情动作。举个例子说吧，制作一只猫那么大的外星人，它的头很小，只能容纳几个简单的机关，来做简单的动作——也就是眼睛能从一边转向另一边，能向上看看，再向下看看，眼睛闭上，嘴巴张开之类的。

能做这些动作的机械构造看起来应该是这样的：

在拍摄中远景镜头时，能做这些简单动作的模型就足够好了，但是到了要拍特写镜头时，它就显得不太真实了。因此，应该制作一个比实际脑袋大得多的脑袋，里面装有复杂的装置，能让嘴唇、舌头和面部肌肉全都运动自如，看起来显得特别真实。在镜头里，这个脑袋跟其他东西大小相配，和一般的脑袋一样大，让人根本看不出破绽来。

大鼠星球的进攻

紧急命令

写给电子动画工作室

请提供：

6只个头非常小的不活泼的老鼠，把它们装进太空船里。

3个脑袋会活动的小老鼠模型。

1个巨大的老鼠脑袋，它用于拍摄撑满整个屏幕的特写镜头。它的嘴要特别大，要足够叼住女演员克劳丽亚。

1只非常活泼的老鼠，它用前爪抓坏了大卡车的顶子。

1只屁股特别大的老鼠，要一屁股坐在克劳丽亚老板的身上，把他压成扁片，还要特别轻，不能真的伤害那位演员。

让它动起来

无论多么好的木偶，要想显得真实，都得靠木偶戏演员高超的操纵水平。因为一个演员只有两只手，有时候，得好几个演员共同来操纵一个木偶——事先需要多次排演才行。要想让许多演员共同操纵一个木偶脸部的不同部位，是比较难协调的。所以，有时候，有些动作需要事先用电脑进行精密的设计。比如让一个演员负责让它微笑或吼叫，让其他不同的演员负责其他不同的表情。

在拍摄电影时，隐藏操纵木偶的演员并不难，因为在后期制作时，无论是木偶演员还是那些连线、操纵工具都能被去掉。为了后期制作时容易进行隐藏处理，如果要在蓝色背景前工作，演员就要穿上蓝色的衣服，如果他们要在很普通的背景前工作，那么衣服的颜色要有助于后期制作时一眼就能把他们分辨出来。

在舞台上表演时，木偶戏演员也得藏起来，所以我们看到木偶戏时，那些木偶总是出现在桌子上或长椅子背上。有的表演可以用无线电遥控的方法操纵木偶，当然，也有用电缆操纵的，不过得注意别让它把演员绊倒了。

电影《星球大战》中机器人C-3PO的骨骼架子就是一个木偶演员站在它背后操纵的。他戴着头盔，这个头盔用根竿子与木偶的头部相连接，所以，无论这位演员何时移动头部，C-3PO的头都会同步移动。另外一些竿子连接着演员和机器人的腿，所以，演员一走，机器人也会走。在后期制作时，这位演员被从画面上去掉了。为了去掉他的图像，电脑特技工作人员先用没有演员和C-3PO的画面作为背景，再往这一背景中添上C-3PO的形象，同时拿掉演员的形象。

永远别和动物一起工作

在舞台或屏幕上使用动物演员会带来所有难解决的问题。它们根本不听你的指挥，还爱袭击其他演员，不仅如此，它们还会在现场留下令人作呕的脏东西。即使是经过很好驯养的动物，也会有问题——你总不能让它们做太难或太危险的动作吧。正因为有这些不便，才促使导演们使用电子动画来代替动物演员。

假设你要拍摄这么一个场景：大木箱子里有两只鸭子，如果要用真鸭子，那你就得找专人去照料它们，它们还可能在不该叫的时候突然呱呱叫起来。如果你用模型鸭子，那看起来又不够真实，因为它们不会动。但是，如果你在模型内部用上电子动画的技术，让它们自如地活动自己的头，观众一定乐于相信它们是活的。

会表演的狗和会说话的猪

在电影《101只斑点狗》里，用电子动画技术制作出的假狗担任了极其重要的角色。假狗代替真狗完成了惊险或高难度的拍摄动作。这些电子动画狗是由吉姆汉森玩偶工作室制作出来的。这些假狗的皮肤由矽制成，上面染的颜色跟真狗的皮肤一样。

电影《101只斑点狗》不仅使用了电子动画狗，还制作了一头电子动画牛。在拍摄幼年小狗们趴在一头和气的奶牛身下吃奶的画面时，为了防止小狗们生病，导演没敢让它们靠近一头真正的奶牛，而是使用了一头电子动画牛。在这头假牛的身下，放了一个假乳房，不过真的能吸出牛奶来。吉姆汉森玩偶工作室在制作奶牛时，只做出了它身体的一小部分，就使它在镜头里看起来跟一整头真牛一样了，而一头真的奶牛被用在这部影片其他的一些镜头里。

《小猪宝贝》是另一部既使用电子动画动物，又使用真动物拍摄的电影。这部电影讲述了一头小猪经过学习和锻炼最终成长为一头牧羊猪的故事。如果离了特技效果，这部片子简直没法拍。如果按情节要求，用真小猪来拍摄，有些镜头是无法完成的。于是，特技制作人员用电脑制图的方法做出了小猪说话的镜头，使那些小猪的画面显得栩栩如生，极其完美。

带腥味的事实

世界上最著名的有关鱼的电影就要算是《大白鲨》了。生活里，真的鲨鱼总是神出鬼没，非常危险，所以，大量的电子动画鲨鱼就出现在镜头里了。实际上，实拍时有3条电子动画鲨鱼同时在现场被拍摄：一条被粗绳子拖在小船船头，用来拍摄鲨鱼的前脸镜头。另两条跟真鲨鱼一样长，是用来拍摄侧面的。这后两条鲨鱼其实都只有侧面的半截，一条是左侧的半截，另一条是右侧的半截（这可比泰坦尼克的半截船要轻便多了）。

为了增加真实感，这些电子动画鲨鱼在尽可能多的时候被真鲨鱼的镜头所替代。有一个很重要的镜头，表现的是一个人站在金属笼子里，被放到水面下，去寻找鲨鱼。一开始，那条唯一的真鲨鱼和这个假人相比，显得过小了。特技效果制作人员没有气馁，他们换上一个非常矮的假人，把它放在更小一些的笼子里，使鲨鱼看起来显得巨大多了。

普通的鱼远不如食人鱼刺激，但普通鱼有时在电影里也有不同凡响的表现。电影《完美风暴》里，一条渔船捕获了一些活蹦乱跳的旗鱼，这一镜头是在片场内的游泳池里拍摄完成的。电子动画技术再次解决了难题——制造了活灵活现的鱼，让它们在甲板上活蹦乱跳。

木偶的问题

电子动画制作出的木偶必须被大量的衣服所包裹，它们已经学会一次次地做出同样的动作来，有时做出的动作也不太连贯。即使它们被制作出来时十分结实，使用时也免不了要常常修理。

《大白鲨》里的鲨鱼形象需要工作人员不断地、有规律地用新牙齿换下丢失或破损的牙齿（橡皮制作的牙用来拍咬人的镜头，坚硬的牙齿用来拍摄咬东西的镜头）。

在舞台剧《记忆中的蓝色山坡》里，剧情需要一只小松鼠从树上落下来，然后在地面上缓慢地爬行，好像受伤了一样。导演找到了一只和真松鼠一样的毛绒玩具松鼠，只要让它能缓慢爬行就可以了。为了达到这样的效果，他们买来一只会爬的机动玩

偶，去掉它的上半部分，把能爬行的底盘安在毛绒玩具的底部。

这一效果在多次测试时都很成功。可真到了演出时，第一次把假松鼠从树上扔下来就出了小故障，它“砰”地落下后，就静止不动了——沉重的撞击破坏了机动玩具的机械装置。他们忘记为它做防撞保护了。

为此，导演找到了电子动画专家。他们用更结实的、无线控制的机械装置替代了机动玩偶，还在外面包裹上减震泡沫，再把它装进毛绒玩具里面。此外，他们还在松鼠着陆的地方放上一块软垫子。这样做出来的装置可以在表演这出戏剧时永久使用。

悲壮宏大的灾难场面

灾难往往是惊心动魄的，电影中的灾难镜头可视性很强，可以让人精神紧张，同时也给英雄提供了用武之地。难怪观众和戏剧作者都喜欢灾难片。

对于特技制作人员来说，制造灾难场面很具有挑战性。他们要尽可能地表现灾难的惊心动魄和高度危险性，同时还要尽量减少对现实的破坏，保障每个参与人员的安全。所以，如果想在电影《大鼠星球的进攻》中表现大火、爆炸以及飙车场面，千万不要亲自上阵，可以请著名的特技专家埃瑞克来帮你制作。他尤其擅长烟火的制作，拥有烟火制作许可证书，可以制作各种火爆场面。

着火了！起火了！

大火可以给爆炸增添壮观的效果，可以更好地表现着火大楼中搜救人员的英勇无畏。如果用壁炉中的火来表示火灾场面，可以保证人员的安全。但是用火要特别小心，一旦火势失控，很可能酿成真正的火灾。

表现火灾最著名的一部电影是《摩天楼失火记》。故事讲述的是一场大火焚毁了一座高138层的摩天大楼，人们试图营救困在楼里的人。对于摄制人员来说，保证所有人员的安全是头等大事，所以他们在拍片过程中请了洛杉矶消防局的人员全程坐镇。每一个起火处着火时间不能超过30秒钟，把这些单独的着火场面剪辑在一起就形成了一场连续的、长时间的起火场面。由于防护措施到位，尽管电影中有很多大火、坍塌和大水的场面，整个拍摄过程中仅出现了一个小小的意外，只有一位烟火师被破碎的玻璃划伤了手。

现场着火的场面

舞台上表现着火场面难度特别大，因为要做到这一点就必须冒着剧院被焚毁的巨大危险，因此舞台上都不能用真火来表现大火场面。很多人都相信一句老话，叫作“无火不起烟”，就是说如果看见了什么地方冒烟，那就说明那个地方一定起火了。所以根据这个理论，使用一些闪烁的黄色或橙色的光配以浓烟，就足可以表现大火场面了。假如你特别想把火焰表现出来，可以在浓烟中使用一些橙色的或黄色的丝绸，用电扇对着它们吹，让丝带飘动起来，这样就可制造出惊人的效果了。

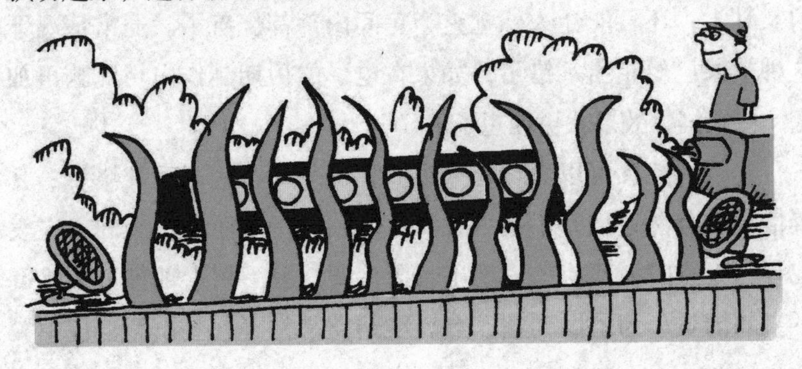

用真火营造更真实的场景

虽然运用浓烟和彩光可以营造很逼真的大火场面，但是很多电影还是不太满足于此，于是有人开始在电影中使用真火，以达到更为逼真的效果。正是考虑到这一点，艾瑞克发明了一种火焰叉，这是一根很长的管子，管子的一端有一些喷头，可以喷出易燃气体；另一端与一个气体容器相连，可以保证气体通过管道到达叉子处。将每个叉子头都点着，看起来就像是着大火了，挺逼真的。

埃瑞克认为，如果在房间的窗户边上放上几个点着的火焰叉子，再配上一些浓烟，就足可以表现这个房间着火了，而且还不会对房间造成任何损害。如果把这种火焰叉小心地放在房间内部的家具上，还可能让人感觉整个房间内部都烧着了。通常情况下这种效果已经相当不错了，如果在电影的后期制作中用电脑再加上一些火焰，效果就更理想了。

尽管火焰叉可以表现起火场面，但是却不能表现焚烧后的真实情况（当然这里并不是主张真的烧毁一些东西）。因此，在表现森林大火时，还应该表现出参天大树烧着、树上部带着火焰倒下来的情景。为了做到这一点，埃瑞克制作了一些模型，烧掉模

型就可以让人以为树在着火并倒下来了。

可惜的是，太小的火焰毕竟跟真火不太一样。为了让假火更生动逼真，埃瑞克使用了高速摄影机，拍摄之后，以每秒钟24格画面的标准速度播放出来，画面就会显示慢动作，这样可以遮掩住不太真实的缺陷。

大卫·塞尔兹尼科在影片《飘》中拍摄亚特兰大着火场面时，特别注重影片的真实性，他拒绝使用模型来拍摄，而是真的在摄影棚的外部点了一些火，还在火的附近加上了另外一些废弃的物体。最后银幕上效果的确特别真实。当时，人们用了几千加仑的水才将火扑灭。

摄影技巧与影片效果

从安全的角度来说，演员与火离得越远越好；但是从效果的角度来看，两者却是离得越近越棒。为了解决这个矛盾，那就必须运用高超的摄影术了。

为了拍摄远距离的事物，人们往往使用长焦镜头。一些自然摄影家往往用长焦镜头来拍摄远距离的野生动物，因为它可以把很远的东西拉近。

这种镜头拍摄出来的画面看起来就好像是镜头与被拍物体相距很近，虽然实际上两者离得很远。这种技术在表现大火场面时效果很好，演员可以站在一个非常安全的位置，但是看起来就像站在火堆旁边一样。

爆炸场面

> 大鼠指挥总部外，白天。
>
> 汉斯和克劳丽亚从前门跑了出来，他们急于在这座大楼倒塌之前逃离此地。但是大鼠们已经在对面的楼顶上安置了卫兵，监视着两人的一举一动，谨防他们逃跑。其中一个卫兵用反坦克枪向他们开火（卫兵是反派角色），但却没有击中，子弹打爆了附近的一个电话亭。

爆炸场面的一个难题是如何表现爆炸后飞起的残片。如果炸掉一个真的电话亭，就可能溅起很多玻璃和金属碎片，这些碎片在空中飞溅，很可能造成摄影师、导演及观众们严重受伤。为了将损害减到最小，埃瑞克制作了一个电话亭，使用的是一种特别轻的材料，各个连接部位比较脆弱，很容易散架。这样，他就只需要用很少量的炸药就可以把电话亭炸开，由于碎片都是一些轻型塑料、泡沫或是聚苯乙烯，因此不会对任何人造成伤害。

要想拍摄以上画面，有一种办法就是在地下埋一个装着少量

> 汉斯和克劳丽亚逃走时穿过一个铺满碎石的汽车公园，卫兵们射出的子弹都打入了离汉斯很近的地面，很多飞溅起的泥土和石子，击伤一个路人的脚，他倒在地上。

炸药和软木、聚苯乙烯小碎片的砂浆胶泥混合物。这些东西很容易就可以飞溅到空中，看起来就像是泥巴和小石子。但是为了拍摄好这个场景，埃瑞克决定使用低音扬声器，这是一种更为安全的设备。它也装满了软木、聚苯乙烯小碎片，埋在地下，就跟前面说的方法一样，只不过不用装炸药，而是使用压缩空气来代替炸药。

当然，这种东西不会发出"砰砰"的声音，只有空气向外

喷的声音，所以在后期制作过程中，还必须配上一些闪光和爆炸声。

经过的路人是一个女特技演员，她在外衣里边还穿着一些填充物，这样当她倒地时就可以起到保护作用。她可以直接就那么倒下去，但是这样不会有被炸起来的那种戏剧效果。为了做到逼真，埃瑞克让她站在一台空气撞击机上，这种机器使用压缩空气，可以在需要的时候将人喷向空中。

他可能还会要求她穿上笨重的甲胄，上面连着一根线，当这个低音扬声器爆炸时这根线会将她绊倒。

做这种效果的传统做法是将一些小炸弹（俗称爆竹）埋在地

另一个卫兵也开始用机关枪向汉斯和克劳丽亚射击，在他们逃跑时，子弹纷纷射进他们脚边的地面。

下，这些炸弹的位置都被仔细地标出来，以避免演员踩着它们。在演员经过这些炸弹所在地时，它们会被遥控器一个挨一个地引爆。可是埃瑞克决定尝试一种更新的、更安全的方法，那就是在后期制作过程中添加上一些数字子弹。

突然，大鼠的总部大楼自己毁灭，被炸得轰然倒塌。

我们的外景拍摄选择了当地中学作为大鼠们的总部所在地，但是，尽管一些学生很支持埃瑞克，他还是不愿意把一个真正的楼房给炸掉，所以，为了营造良好的效果，埃瑞克制作了一个模型。模型越大，爆炸效果越好，他制作的这个模型高2米，使用轻型材料做成，这样就很容易被炸开。他还在模型上装了少量的炸药，以使画面达到最佳效果。

为了使场面更加壮观，他小心地把装有易燃燃料的塑料容器放置好，当他引爆模型时，炸药会引燃燃料，可以产生巨大的火球。火球以极高的速度移动时，他就使用高速摄影机拍摄，这样放映时画面就很缓慢，画面效果就非常好了。

我们在看电影时，经常会见到这种飙车场面，给人的感觉好像车一直在高速地开着，实际上不是这么回事。整个飙车场面是由好几个不同的特技场面组成的，每个场面都是单独拍摄而成，如果有需要，中途可能还要有人修理汽车。

汉斯和克劳丽亚跳进车里，汽车在轰鸣声中疾速离去，大鼠卫兵在另一辆车里紧追不舍。

为了拍摄飙车场面，必须有一条大马路，这就要求导演有高超的组织管理能力。为了避免演员发生交通事故，你可以按照以下几条去做：

- 最好在早上拍摄（如果交通警察许可的话）。
- 请求关闭几条道路，以供拍摄。
- 在新建成的尚未开放的马路上拍摄。
- 在老机场的飞机跑道上拍摄。
- 在摄影棚外边拍摄。

汉斯和克劳丽亚沿着马路快速行驶，结果他们发现路的尽头却是一条河。他们有些害怕，但是也不能往回开，因为追捕他们的人离他们已经很近了，所以汉斯猛踩油门，车子高速向河对岸冲过去，结果车子成功地越过河流，安全地在对岸着陆了。

为了让汽车像上面所描述的那样飞起来，必须沿着一个坡道开车，就像玩滑板跳跃时那样。埃瑞克不想让观众也看见这个坡道，所以他会利用一辆停着的卡车来掩饰。在做飞跃动作时，汉斯和克劳丽亚暂时由两个特技演员做替身，他们驾驶的汽车也换了，虽然外形一样，但是内部安全性大大增强了，而且油箱中的油也被减至最少。

猜猜他们是怎么拍摄的?

制造特效的途径有很多，请你猜猜以下这些精美的画面是怎么拍摄出来的?

1. 电影《鬼哭神号》中，有一所房子内部发生爆炸，结果塌了，最后在中心形成一个黑洞而消失。这种效果是怎么制造出来的呢?

a) 制作人员使用了一个充气房子，把塞子拔掉，在它收缩时进行拍摄。

b) 制作人员做了一个模型屋，在屋里面安了一个漏斗、一根线和一个真空吸尘器相连。

c) 制作人员拍摄的是真实的房子，用一辆快速移动的卡车通过线缆把屋子拉塌。

2. 默片喜剧演员哈若德·洛伊德之所以著名，是因为他在银幕上老是站在屋顶的边缘，挂在窗台上或是在高架子上保持平衡。为了拍摄这种场面，他怎样做？

a) 在真正的建筑物上拍摄。

b) 用了特技替身演员。

c) 使用了特制的摄影棚，其实他离地面也就只有一米。

3. 在《终结者2：审判日》中，终结者（由阿诺德·施瓦辛格扮演）不得不用一根金属管穿过自己的身体。特技制作人员是如何做的？

a) 用的是一根魔术管，当它插向施瓦辛格时，接触他身体的那一端就缩进去了，然后在后期制作时，这一端又从他背后伸出来。

b) 用的是一根魔术管，它的前端插向施瓦辛格的戏装，然后从旁边弯曲过去绕到后边再伸出来。

c) 用的是一个跟真人大小一样的假人，所以管子穿透了人的身体。

4. 在《X档案》里头，有一只蜜蜂穿过斯古丽的领子。特技

制作人员是怎么做的呢？

a) 他们用的是一个无线遥控的蜜蜂模型。

b)在后期制作中用电脑加了一只蜜蜂。

c) 用的是一只真蜜蜂，但是需要在斯古丽的领子上抹上一圈香气。

5. 在电影《小魔怪》中，有一个小镇受到了一群特别恶心的小动物的恐吓，电影制作人是如何制作这些小人的呢？

a）用的是一群无线遥控的小玩偶。

b）用的是手套式木偶。

c）用的是牵线木偶。

6. 在电影《第三类接触》中，有几个重摄的场景，描写的是外星人从太空船中走出来，是什么老出错？

a）外星人是由木偶扮演的，这些木偶的线老缠在一起。

b）外星人是由一些6岁的女孩扮演的，她们一直在跳迪斯科。

c）外星人是由小猩猩们扮演的，它们总是互相打架。

7. 在电影《外星人》中，艾略特同他的外星人朋友一起坐着他那辆自行车上带的框一起飞上了天空。为了拍摄这个经典场面，特技人员是怎么做的？

a）这个自行车实际上有一个平面螺旋桨，在后期制作时给抹掉了。

b）扮演艾略特的演员骑了一辆真自行车，自行车是用线给吊着的。

c）实际上是一个假人扮演艾略特骑着一辆模型自行车。

8. 电影《勇敢者游戏》中，有一个场景是表现很多种不同的动物狂奔的场面，包括大象、斑马和犀牛等。这个场面是如何做出来的呢？

a）用电脑制作出这些动物。

b）分别拍摄这些动物，然后在后期制作中把拍到的场景剪接到一起形成一个完整的场面。

c）制作人从洛杉矶动物园雇用了很多动物，然后让它们拼命追逐一辆装满食物的大卡车。

9. 在电影《飞越长生》中，名演员梅丽尔·斯特里普把她的头转到背后以便看到她身后，导演是怎么做到这一点的呢？

a) 先拍摄一个她向前看的镜头，再拍一个向后看的镜头，然后把两个镜头结合在一起，用电脑把她前一个镜头的头部和脖子挪到后一个镜头的肩膀上。

b) 先让梅丽尔·斯特里普做两个月的软体训练，然后让她玩这种杂技。

c) 用一个假人扮演梅丽尔·斯特里普，假人的颈部可以随意转动。

10. 在电视连续剧《神秘博士》中，有一个经典的画面就是沿着一个无尽头的通道或隧道追逐着，这个镜头是怎么做出来的？

a) 把演员的蓝屏影像放在一个迷宫模型里，这个迷宫会把最聪明的老鼠弄晕。

b) 选择广播电视大楼里的一个没有尽头的走廊拍摄这个场景。

c) 做一个走廊，让一个演员在走廊里一遍又一遍地跑。

1. b) 这种特技很难制作，因为只有一次机会拍摄这种场面，拍摄时使用了一种高速摄影机来降低胶片的放映速度。

2. a) 哈若德·洛伊德通常都是亲自完成这些特技动作，一般情况下在银幕上表现得有多高，实际拍摄中他就会站多高，没有一点儿假的。

3. c) 这个假人设计得一举一动都特别像施瓦辛格，操作这个假人需要一整套人马来做各种造型。

4. c) 蜜蜂是一个非常杰出的表演者，它总能重复它走路的动作。

5. 这几种都对，再加上一种线控的木偶。不同种类的木偶用在不同的场景。

6. b) 用小女孩扮演外星人在个头上更像，但是她们不大听导演的话，因为她们年纪还小。

7. c) 有一个发动机转动着自行车的轮子和脚镫子，这样看起来就像是假人在蹬自行车一样。在后期制作中，把假人骑自行车的场面与月亮的背景场面放在一起，就形成了最后升空的场面。

8. a) 把这些动物拍摄出来然后放在一起真的非常困难，所以最好的办法就是用电脑来制作。这是电影史上第一次用电脑制作有皮毛的动物，尤其是狮子的鬃毛更难制作。虽然第二个选项没有在这部电影中运用，但在1929年拍摄的《挪亚方舟》中运用这种办法很成功。

9. a) 在这种电脑图像技术得到发展之前，这种情景大概都只能用木偶来完成。但是这部电影成功地运用了电脑技术。

10. c) 由于《神秘博士》的预算不是很大，制作一套复杂的设备来完成这种场面是不可能的。因此，节目制作者不得不最大限度地利用他们现有的条件来制作电视剧，他们改变了摄像机的摄像角度，并且在两个场景间移动道具的位置如岩石和门廊，这样看起来就像是演员在不同的地方演戏了。

鲜血是如何喷出的

动作电影、杀人破案电影和表现医院工作的电影都有一个共同特点，那就是会有很多血的场面。为了表现这种场面，你可以用一些假血来达到这种效果。现在还是让我们从最简单的开始吧：先弄一些比较黏稠的液体，然后给它染上红色，这就是做假血的最简单的方法。

设计各种血

血的浓度比水的要大一些，但是为了制作出不同的效果，你必须稍稍改变一下血的黏稠度。要表现从身体中大量出血的场面，或表现地板上流出一大摊血的场面的时候，血就应该多点水分；为了把假伤口做得就像是肉体上的真伤口一样，血液就应该稠一些，这样血就不会大量地流出伤口了。

金黄色的糖浆是制作黏稠血液的最好道具，它可以吸引昆虫。由于真血也能招来昆虫，所以能增加它的真实感。你也可以往里面加上一些洗涤剂或水，使它变得更易流动。

如果想制作稍微稀一点的血液，可以用玉米淀粉或是藕粉兑上水煮，直到变得浓一些。如果你喜欢，还可以用即溶的肉汁粉，但是如果这样大量造“血”的话，代价就比较大了。

给血上色

为了使假血看起来很逼真，可以向假血中添加一些红色的食用色素，或者加上无毒红色粉末涂料。用这种方法得来的红色可能非常鲜艳，所以你必须再往里加上一点棕色让它变得黑一些。

几滴非常浓的黑咖啡也可以起到这个作用。当然，如果你用肉汁粉来完成你的处女作，由于里面已经含有棕色了，你得到的颜色肯定会是暗红。

假血会污染衣服，如果你不得不把血洒在戏服上，而这戏服你下次还要穿，那么在血干燥以前赶紧把衣服洗掉。如果洗不掉血迹，那你就只好多准备几套戏服了。

用简单方法造血

假如你既不想去买道具血，也不想亲自动手做，那你就可以直接用番茄酱、草莓酱或是果酱试试。如果是拍摄黑白片，那么血的颜色最好是黑色或是深棕色，而不能用红色，这样看起来更真一些，这时候你就可以试用一下巧克力糖浆。阿尔弗莱德·希区柯克在电影《精神病患者》中表现女主角遇刺流血场面时所使用的就是这种东西。

如何让人出“血”

造“血”只是电影特技的一个小小的挑战，为了制造出真正让人一看就特别害怕的效果，就必须使那血看起来就像真的是从人身上流出来似的。

你可以背着观众把伤口做好然后让血从伤口里流出来，这是再简单不过的事情。

要制造一处刀伤或枪伤，首先要用黏土制作一个你需要的伤口模型，然后用这个模型再做一个模子，用这个模子和橡浆再做一个薄的伤口。

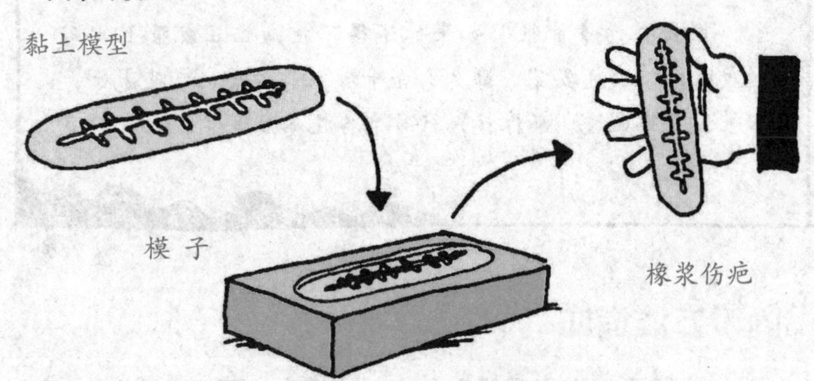

把这个橡浆伤疤用特殊胶水粘在演员的皮肤上。

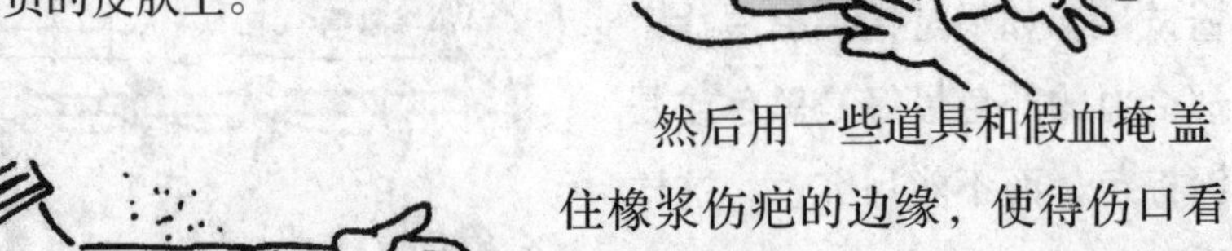

然后用一些道具和假血掩盖住橡浆伤疤的边缘，使得伤口看起来更真实一些。

一个画面拍摄结束后，只需要把橡浆伤疤揭掉，演员就恢复了原状。

让观众亲眼看见受伤流血的过程，这就要难一些了。下面教给你一些技巧，让你可以做得更真实一些。为了帮你理解这些，埃瑞克和普里思托两人一起合作来进行制作：

流血特效制作指南
吸血海绵法

你也许已经见过好几百次这种场面：

在实际拍摄中，演员把一个吸满血的海绵用一个塑料包包着，很小心地藏在衬衫里面。这个包的顶部有一些小洞，所以当他用手挤这个血包时，血就会从海绵里喷出来染到衬衫上。

还有一种方法，可以把血放在一个容器里，用手挤压这个容器，血就会出来。

用这种方法你就不需要海绵了，见效的速度会快一些，但是有一个小问题，那就是这个容器有时候在该破的时候却挤不破，血也就出不来。

隐藏刀身法

有两种道具刀，第一种是用塑料或木头做刀身，当受到外力时，刀身会缩到刀柄里头，这样“凶手”就可以把刀子捅进受害者的背部而不会让他受伤，观众也不会看出来。如果把这种方法与吸血海绵法结合起来，效果就特别棒了——白刀子一扎进去，马上就能从海绵中带出血来，这还不够真实吗？

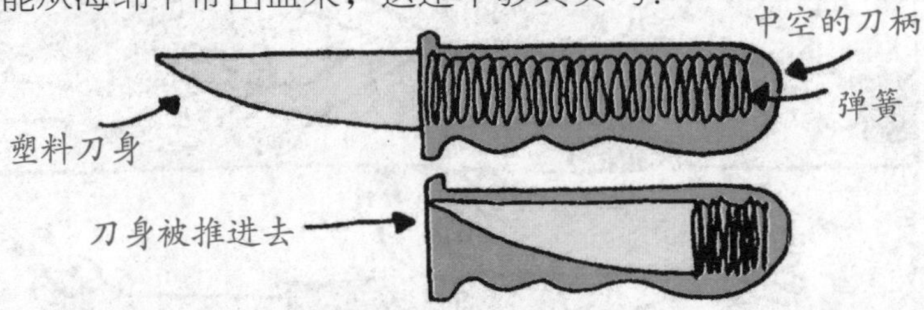

刀柄装血法

另一种刺刀见血的方法就是在刀柄里装上血，并且在里头装上一支小导管，血可以通过这支导管从刀柄流向刀尖。当杀人犯割开受害者的喉咙时，杀人犯会挤压刀柄，把血挤进导管里，并且流向刀尖，练熟了以后，杀人者就会在受害者的喉咙里留下一道子血，显得特别真实。

倒地出血法

受害人受伤后很悲惨地倒在地上，这时候他必须保证自己倒在一个预先安排好的地点，因为那里的舞台地面有一个小洞，小洞里伸出一支小管，与这支小管相连的是插在一大桶血里的水泵。当人倒在地上后，水泵会从桶里把血流通过小洞抽送到地面，就好像是“死者”的血源源不断地流出来淌在地上。

伤口喷血法

这是倒地出血法的一个变种，对于动脉伤和枪伤来说特别有效。但这种方法不是在地板里使用导管，而是在演员的身上放导管，把导管开口的那一端冲着伤口，在需要的那一刻水泵就把血抽出来，就好像是从伤口喷出来一样。

身体严重受伤场面

有一些画面不只是要求演员流一些血，而是要求他们严重受伤大出血，表现一种特别血淋淋的场景，如割开胸膛、切掉腿部等。当然，即使是再具有献身精神的演员，也不愿意为了艺术拿自己的身家性命去做这些危险的动作，这时就需要特技制作人员的绝技了。

解决这个问题的方法就是真假身体的某个部位混用。要做到这一点，最简单的就是在地板上或是桌子上挖一个洞，让演员躺在手术桌上，真的小腿从桌上的洞里垂下去，展现在观众面前的是一只假腿，当然，桌子还需要用一个床单遮住，这样观众就看不到真腿了；并且用另一个床单将真假腿的结合处也给遮住，这样即使不用麻醉药，演员也能特别安全地接受“截肢手术”了。

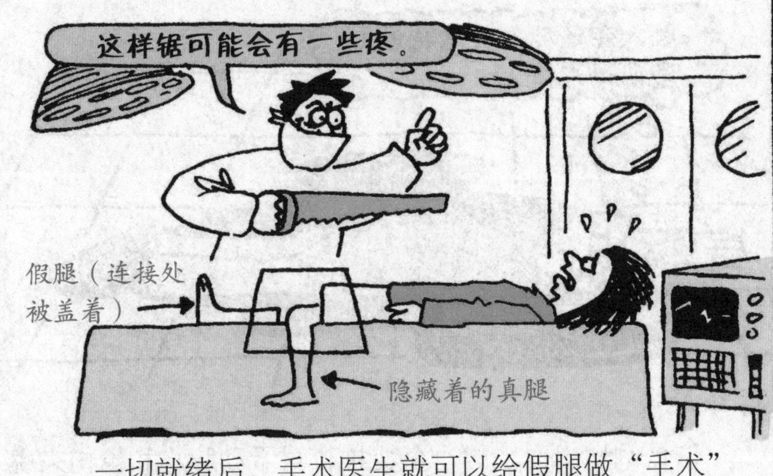

一切就绪后，手术医生就可以给假腿做“手术”了，病人则可以在“手术”过程中假装特别痛苦，甚至可以“疼”得大叫起来。

外星人“出生”记

你想拍摄一个长在人身体里的外星人突然从这个人的胸膛里破膛而出的场面吗？只可惜这个创意不是第一次提出了，因为它已经在电影《外星人》中用过了，而且现在的科幻电影已经普遍使用这种画面。可是如果让你亲自拍摄这种画面，那又该怎么做呢？

一个方法就是先制作一个无头的假人，把它放在桌子上，让演员从桌子下面通过桌子上的洞把脑袋伸出桌面，这样看起来就好像是演员的脑袋连在假人的身体上。然后一个操纵木偶的人也钻到桌子底下，透过桌子上的另一个洞从假人的胸膛里将假外星人弄出来，这样就可以拍摄到上面叙述的画面了。

但是，这个方法其实还不是很简单，因为它要求木偶操作人员和演员之间动作非常协调，而且外星人的长度要足以遮住木偶操作人员的胳膊。

还有其他一些办法可以使场面更真实一些：

▶ 可以将外星人模型笼罩上一层薄雾，这样的画面朦胧一些，也就显得更真实一些。

▶ 让假人出很多血，同时从胸膛带出一些生肉。

当然，也许你会想出一种更好的办法来。

摆脱重力

不管什么东西升上去，都会落下来。这是重力的基本规则，所以电影中总是有一些人们从楼房上、悬崖上、飞机上以及其他很多类似的东西上跳下来掉到地面上的镜头。当然，还有一个原因就是观众们喜欢看跌落并侥幸逃生的场面——它会给动作片增加戏剧性效果，给喜剧片添加滑稽气氛。

在现实生活当中，坠落可能是一种非常难忘的经历，不要说从高空坠落，即使是因为踩上一个香蕉皮而滑倒，都可能使背部严重受伤；要是从飞机上坠落下来，那可能就会要人的命了。所以制作高空坠落并死里逃生的场景是特技制作人员的另一项任务。

高度的错觉

汉斯和克劳丽亚被锁在一个空房间里，与此同时那些巨大的大鼠们还在梦想着统治人类世界。他们二人除了通过窗户逃跑外别无他路可走，可是他们所在的房间在第三十层楼上，这叫他们如何逃生呢？汉斯和克劳丽亚鼓足了勇气，爬出窗外，顺着窗台往两边爬。突然，克劳丽亚手一滑，身子往下坠落，汉斯眼疾手快，抓住了她的手腕。这样她就悬挂着，汉斯用尽力气，他显得非常痛苦，终于将克劳丽亚拉回到安全的地方。

拍摄这个镜头的第一步就是要让观众相信汉斯和克劳丽亚所处的位置离地面非常高。让汉斯走向窗户往下看，然后把镜头切换到从一个真的特别高的窗户往下拍的画面，这样就表示他们在非常高的一个地方。

第二步，你需要选取大楼外场景的一部分，包括窗户和窗台，大楼的其他部分就不用再拍摄了。这个画面在后期制作时要用到。

窗台必须稍高一些，这样克劳丽亚才可能吊在上边摆动。拍摄时不让观众们看到她的脚，其实离地面也只有半米高，也不能

让他们看到地面上的软垫子。这是为了防止有人真的跌落下来而做的一种保护措施。

接下来就要拍摄汉斯和克劳丽亚爬出来的场面了。把摄影机架在他们下边进行仰拍，这样便于制造高度幻觉。如果有必要的话，你可以要求摄影师躺在地上拍摄；同时，让演员不时地往下看，这样你就可以加上那些看起来离地面非常高的画面，给观众造成一种演员离地面特别高的错觉。

高空坠落

拍摄高空坠落死里逃生的场面，用一个假的高地就非常不错。但是如果想拍摄人真的坠地的场景，这个办法就不灵了。

当为大鼠头目效力的人发现汉斯和克劳丽亚的踪影时，两人正好在大楼的顶部。汉斯冲向他们，手里拿着一把刀准备同他们展开搏斗。大鼠头目的走狗朝他猛扑过来，他也猛地跳了起来，结果对方收不住脚，撞向屋顶的边缘，从屋顶摔下去，落在地面上一辆汽车顶上，摔死了。

根据你对这部影片投资的多少，有几种方法可以拍摄以上这个画面。

方法1：做一个假场景

这种方法是让观众想象着这一切动作。

1.拍摄屋顶上的打斗场面——这时你可以在真的屋顶上拍，也可以用道具。

2.拍摄走狗们冲向屋顶边缘的场面。

3.拍摄一个从上往下看，看见一只走狗躺在一个被压塌的汽车顶部的画面，如果你能从高处拍摄，然后急速向下推进到尸体特写镜头，这样就再好不过了。为了增加效果，最好再在尸体和汽车上加一点血。

4.把这些画面按照顺序剪辑到一起，这时观众们就会认为他是跌落下来的，虽然影片并没有让观众亲眼见到他落下来。

方法2：使用特技演员

这种方法需要拍摄的画面顺序跟上一种是一样的，只不过多加了两个场景。为了拍摄这两个场景，需要使用两个特技演员来表演高空坠落，个头儿要和扮演袭击者的演员差不多，这样两人从远处看就是一样的了。然后拍摄特技演员冲过屋顶翻下边缘的场面，用另一架摄影机拍摄他实际坠落的场面，坠落时还必须在空中挥手、蹬腿，向观众表明我们用的不是假人，最后他可以很安全地落在一个大气囊上。当然，观众不会看见他坠落在气囊上的场面，因为这时候你要把镜头切换到尸体躺在汽车顶上的画面。

方法3：使用假人坠落

这回仍然使用跟方法1同样的拍摄顺序，另外在冲过屋顶和坠落两个场景之间加上一个镜头。当然，这回你不需要使用特技演员，只要使用一个穿戴跟真人一样的假人就可以了。在确保他不会砸在楼底下任何一个行人身上的前提下，你直接把这个假人扔下去就行了。

拍摄这个场面时你可以把整个坠楼过程完整地拍摄下来，但是观众可能会看出这是一个假人，因为它在坠楼的过程中是不会动的。

方法4：完全真实

这种方法既不用假人也不用特技演员做替身，而是用电脑来制作一个男人坠落的场面。如果你首先仔细观察好演员的细节特征，就可以把电脑特技人做得跟真人一模一样，这样产生的效果是最棒的。但是电脑做出来的图像质量高低还要取决于你所使用的软件的质量以及电脑特技制作者的水平。

从飞机上跳下来

假设制片人认为从楼顶跳下的场面还不够刺激，不够惊心动魄，那么他可能会把这个地点从楼上搬到飞机上去。

当大鼠头目的走狗发现汉斯和克劳丽亚的踪影时，两人正好在飞机上。汉斯冲向他们，手里拿着一把刀准备同他们展开搏斗，敌人朝他猛扑过来，他也猛地跳了起来，对方收不住脚，摔出机舱，从飞机上摔下去，落在地面上，摔死了。

为了使这个场面看起来非常有震撼效果，你可以用一个特技演员当替身——这个特技演员必须很擅长跳伞降落。他的穿戴跟那个袭击者一样，设计戏服时要把戏服稍微做大一些，这样就足以在衣服里藏一个降落伞，当替身摔出来时，刚开始好像就是要

落到地面摔死，但是拍摄一会儿后，摄影机就不会对着他拍了，这时他就可以从容地打开降落伞安全地着陆了。

在黑洞中消失的场面

如果你想拍摄一个人被湮没的场面，你可以用这样一种摄影技巧来拍摄：让演员躺在地面上，在他躺下来之前，你必须在地面上铺一层蓝屏材料。

然后你就要求他按照电影上的老套路挥手蹬腿，这时你就可以用一个变焦镜头进行拍摄，刚开始时用长焦来拍摄，这样他看起来就非常近，在画面上显得很大，然后镜头急速地推远，使他变得越来越小。在后期制作时，你可以在这个画面上加一个空间画面、地狱或是大旋涡作为背景，这时你就可以制作出满意的画面了。

如果你有一台电视摄像机，你可以用长焦镜头在家里试着做一下上面的镜头。可能在后期制作时没那么容易，那么你可以让演员躺在黑色的地面上，这样看起来他就好像是坠入了一个黑洞里。

从卡车上跳下来

> 汉斯是从卡车上逃生的，当时他并不知道大鼠们咬断了刹车系统的油泵，只知道他在踩刹车时，疾速行驶的车丝毫不能减速，所以在卡车撞墙之前，他就从车上跳下来了。

尽管这个场景在观众看来必须是在瞬间完成的，但是你拍摄起来却必须把它分成好几个部分。

1. 先拍摄一个卡车高速行驶的远景。

2. 再拍摄汉斯在卡车中推开车门的镜头。

3. 拍摄一个他跳出车的特写镜头。

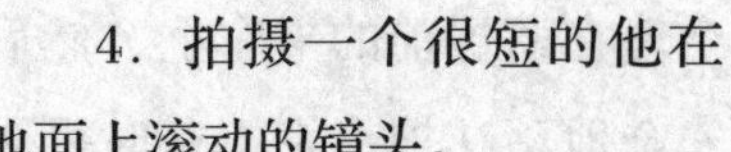

4. 拍摄一个很短的他在地面上滚动的镜头。

5. 拍摄卡车撞击的镜头，为了节省开支，不必用真车，用模型车代替就可以了。

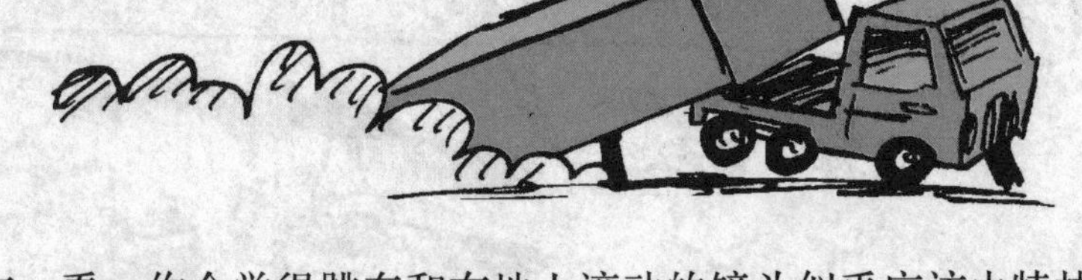

乍一看，你会觉得跳车和在地上滚动的镜头似乎应该由特技替身演员来完成，但是这里却用不着，因为导演坚持使用特写镜

头来拍摄，所以这些动作都必须由演员亲自完成。

解决办法当然有，那就是使用另一种拍摄技巧。你应该有这种经验，当你向正在行驶的车窗外看时，好像你是静止的，树和房子都在往后退。根据这个理论，如果你让摄影机来移动，最后的画面效果就好像机器是静止的，你镜头中的那些事物在移动。

这样，你就可以把汉斯放在一个停在蓝屏前的卡车上，然后拍摄他跳车的画面。当然，他可以安全地落在护垫上，这时摄影机从他身边快速移过。当你看见这个画面时，就好像是卡车在动一样。在形成最后的画面之前，你必须把演员落在护垫上的镜头给剪掉，代之以汉斯在地面上滚动的镜头。这样看起来就好像是他刚从车上跳下来落到地面上的。

超人和神仙

在人们的想象中，什么事情都是可能的。比如说，人们可以想象自己在空中自由自在地飞行。但是在生活中（如在舞台或银幕上）要做到这一点，就必须使用特效技术了。这种特效技术现在已经没什么新鲜的了，早在2500年以前，古希腊人就用一个手工操作的起重机把扮演神仙的演员从“天堂”接下来，然后再把他们从地面送回“天堂”。当然，飞行特效不仅仅用于拍摄神仙。有一个希腊戏剧还表现了一个坐在飞行中的篮子里的哲学家，还有一个则表现了一辆飞行的战车。

今天，用于制作飞行特效的最重要的一种手段就是用吊绳吊着演员在空中飞行。首先，演员必须穿上一套马具，将马具紧紧地套在髋部和大腿上部，如果这个马具不是情节所需要的（如在电影《不可能完成的任务》里就是属于这种情况），那么一般情况下都必须把它穿在戏服里面，以免让观众看见，露出马脚。

在这套马具的两边每边都有一根细线，分别挂在舞台上的两根横在舞台上空的线上，两根线的交接处有一套滑轮系统，只有后台的操作人员才可以控制演员的“飞行”高度。这种马具不但可以用来拍摄飞行场面，而且还可以用来拍摄大跳跃场景，尤其是在功夫片里面，演员们要腾空而起展示轻功，这时候一般都要借助于这个系统。

线必须非常细而且结实，这样才能既保证演员的安全，又不至于让观众很容易发现。特别是在舞台上使用时，演员与观众之间还必须保证有一定的距离。如果在拍摄电影时你还能看见这些细钢丝线，那么你可以在后期制作时把它们抹掉。

如果你是在蓝屏前拍摄演员飞行的画面，那么在后期制作时，你就可以把这个飞行图像放置在一个你需要的背景前。比如，在《超人》中，制作人员就把飞人放在天空的背景之中。这样的话，演员就会显得非常小，如果用电脑给他加上一对扇动的翅膀，看起来就更像一个神仙了。

人类飞行

还有一种表现失重的方法，就是让人在墙上或天花板上行走。要在舞台上表现这个场景几乎是不可能完成的任务，但是在电影中却可以做到，尤其是那些表现太空漫步或超级英雄的片子。

当然，人们只能走在地面上，而且肯定会有重力，在墙上或天花板上行走是做不到的。这样，要产生倒立行走的特效，就必须使用一套精心设计的布景，在实际生活中演员还是在地面上行走，但反映到画面上他们就是在天花板上走了。

方法就是做一套完全倒置的布景，就像这样：

演员在地面上走着，把摄影机倒过来拍摄，最后形成的画面就是他在天花板上行走。

使用这种特效最为著名的一部电影是《2001年》，画面展现的是一个女侍者端着一盘子饮料走过圆形的太空船里面，她很稳

当地走着，即使是在完全倒立行走时，也没有洒出一滴饮料。如果你没有看过这部电影，那也没关系，埃瑞克刚好拍摄了一组表现克劳丽亚带着她的宠物狮子狗飞飞在航天飞船中行走的画面，

你可以仔细地学一学。

你能想出来两部电影分别是怎么拍出来的吗？给你一点提示，你可以想象一下，老鼠在圆轮中行走时是个什么样。

答案就是，每个演员（包括飞飞）都是照常行走的，只不过那些特制的飞船布景自己在围绕着他们转动，摄影机也随着布景的转动以同样的速度转动，这样从画面上看来就好像是演员在动，而背景是静止的。

惊人的消失场面

在电影中想让一个人消失是很容易的事，你只需要停止拍摄，等他们走出镜头后再开机拍摄。当你回过头来连续放映时，他们就会很神奇地从画面上“消失”掉。

但是在舞台上让人消失就很难了，因为观众一直在盯着演员看。也正是因为有难度，一旦你成功地让演员消失，产生的效果比电影就要强烈得多。

陷阱障眼法

一些舞台装有活动门板，即在地板上开一个口，这个口必须能够让一个人通过。如果地板下面再装上一个可以快速升降的平台，那就完全可以当着观众的面，在众目睽睽之下制造活人在舞台上消失的场面。

这时，快手先生的第二条原则就显得很重要了。你需要准备一个很亮的闪光灯或其他一些干扰物使观众视觉暂时消失。当然，你还需要使用一个活动门板，它在地板上很清楚地标示出来，以便让表演消失场面的演员刚好站在它上面。

如果演员钻到地板下面需要的时间稍长一些，你就要用一些东西把他完全遮挡住，暂时不让观众们看见。有时候这个过程是情节的需要，如演员听见有人来了，急忙躲在窗帘或是壁橱后面。来人在一段适当的时间内找不到演员，于是走了，这时演员才会从他的藏身之所走出来，向人们揭示他是如何消失的。

薄纱障眼法

还有一种活人消失的方法就是利用照明效果。方法是：让演员站在一个薄纱帘后面，如果帘子后边的光比前面的光强，观众就会很容易看得很清楚；但是如果你把帘子后的灯关掉，把前面的灯调得很亮，观众就不会看清纱帘后面的情况，这样就好像是演员和他所站的那个区域都一起从人们的眼前消失了。

镜子！镜子在墙上……

你可以利用薄纱上面的灯光变化来制造一面惊人的魔术镜，产生的效果与在夜间透过窗户玻璃往外看时一样。如果你房间里的灯是亮着的，就很难看清外面的情景，而只能看见玻璃上自己的影像。如果把灯关掉，你的影子就会从玻璃中消失而很容易看见外面的风景。

你所要做的魔术镜是用一块薄的普通玻璃或透明塑料做成的，它被放在一个盒子里，盒子里的玻璃后面有灯光。但是如果把后面的灯关上，没有光到达玻璃的后面，再在玻璃前面打开一盏灯，玻璃就会像镜子似的，演员站在后面的镜子前，观众们会看到他的镜中影像（映像）。

现在把玻璃前面的灯给关掉，把玻璃后的灯打开，镜中影像会立即消失，观众们会看见另一个演员站在玻璃后面。再把后灯关上，打开前灯，第二个演员就消失了，取而代之的是第一个演员的镜中影像（映像）。

辣椒博士的鬼怪

人物突然地出现，突然地消失，这种画面在鬼怪故事片中显得特别重要。辣椒博士于19世纪发明了一种制作这种画面的方法，就像魔术镜子一样，它需要一些明亮的灯和一大面玻璃或透明塑料，只不过这回玻璃不是放在盒子里，而是放在舞台上正对着观众，但是观众们一般不会注意到有一面玻璃或塑料，因为它们太干净透明了。

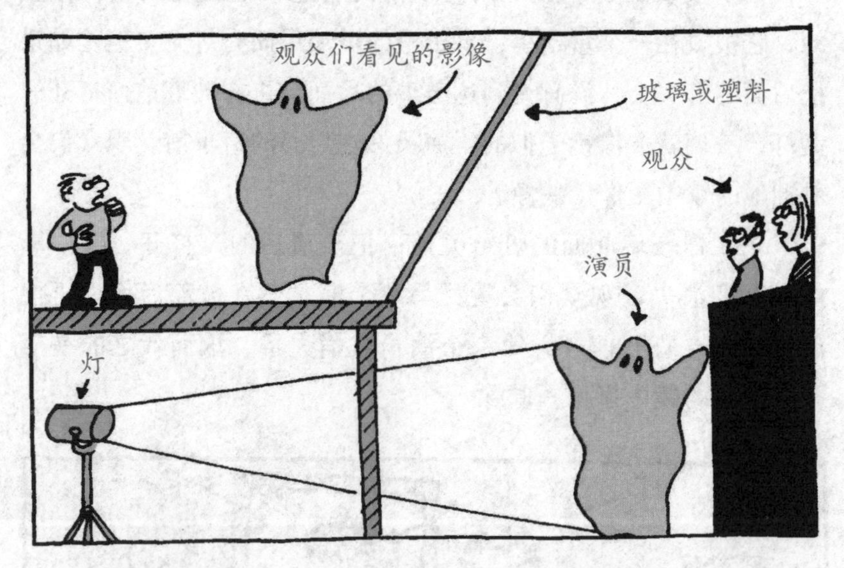

扮演鬼怪的演员站在离玻璃很近的一对翅膀里，那里有一盏灯正对着他照着。当灯被关掉时，他就处在黑暗当中，由于玻璃后面的其他灯光很充足，因此舞台上的一切都显得很正常。当你把那盏灯打开时，它就会照到演员身上，此时观众们就能够看到演员在玻璃中的影像，看起来他就像一个鬼在舞台上。如果再把灯关上，演员的镜中影像就会消失。

由于这个演员并不是真的在舞台上，其他演员走路时能够穿透他，这样他就显得更像一个鬼了。这些演员根本看不见他，因此必须在舞台上做一个标记，标出他的影像在什么地方。

隐形人

如果让你想你的剧中人变得看不见而不是完全消失，那么你就需要制造一些特殊的效果，让人以为那个剧中人还在原地没动。在舞台上，大部分场景都需要使用绳子，你可以用绳子来把椅子拉过来，或者用它吊起勺子在房间里到处走，这样给观众的感觉就是有一个看不见的人在搬动椅子，或是拿着勺子到处走。还可以用压缩空气喷嘴，使这种东西能够翻开书页，挪动灯罩的边，就好像是有一个隐形人在那里翻书或碰灯罩。

电影导演可能对自己的要求更高一些。一个穿着纯蓝色紧身衣裤的演员能够拿着东西围绕着布景走动，然后在后期制作中把他们的影像给抹掉。这样观众就只看见衣服和移动的物体，却看不见人。这时候就好像是有一个看不见的人穿着衣服，拿着东西在走动。这种特殊的效果就会让人以为有人在那里，只不过观众看不见而已，它不同于完全消失的人。

从这种技术脱胎而来的还有一个变种的技术，那就是让人身体的某个部位看不见，而不是整个人都看不见。它在电影《阿甘正传》中得到了应用，使得其中一个角色的腿好像是被砍掉了。具体做法是这样的：让演员腿上穿着一双蓝袜子，在后期制作时被抹掉。

抹掉人的不同部位就会产生不同的特技效果，它可以让一个头颅悬在半空中跟人说话，也可以让一只完全脱离身体的手在空中挥舞，就像电影《亚当斯的一家》中出现的那种场面。

假如你在拍摄电影时想让那些大鼠们变得看不见，跑过雪地时看不见人却能留下一串串的脚印，你可以不运用电脑技术，而是采用在1933年出品的电影《隐形人》中所使用的技术。

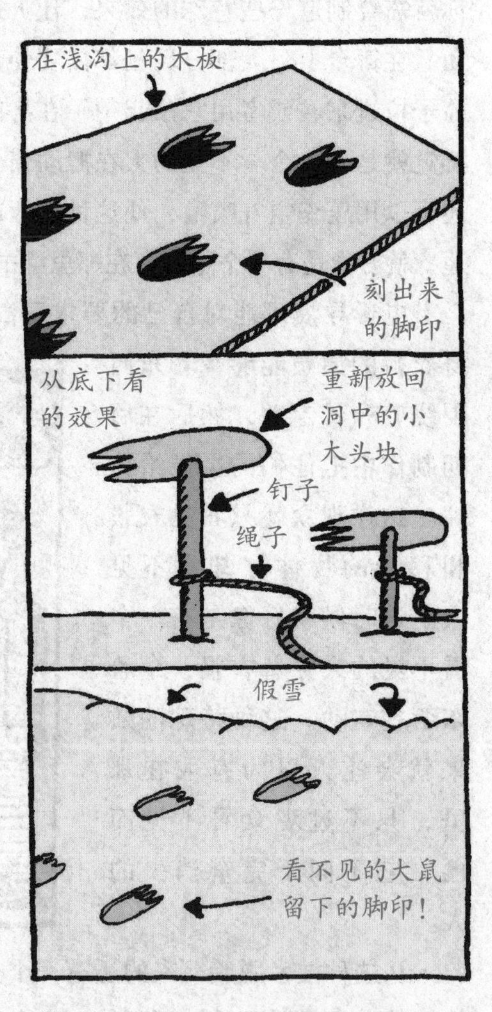

1. 挖一条浅沟，用一块木板将它盖上。

2. 在木板上刻一些小洞代表大鼠们的脚印。

3. 把那些从小洞上抠出来的木头块仍然放回到小洞里，每个小木头块上面钉一个小钉子，在每个小钉子上系一根小绳。

4. 用假雪将这块木板盖上。

5. 用小绳把小木头块给拉出来，一次拉一块。这时小木头块就会在假雪表面形成一些脚印，就好像是有一个看不见的大鼠刚刚从雪上走过时留下的。

声音特效

这一章放在本书的最后，因为在电影制作中，配音的拟音也是在最后阶段才完成的。但这并不是说在电影制作中声音效果不像视觉效果显得那么重要，拟音是特技人员工作中很重要的一部分，声音效果好，观众才会相信电影中那些用纸糊的门真的是沉重的铁门；观众才会相信演员的确是踩在真的雪地上，而不是踩在泡沫上；观众才会相信电影上的恐龙的确是真的，因为它们吃饭的声音太逼真了。

制作声音

电影中的声音有的是从预先录制好的声音中直接转录过去的，有的则是在录音棚中用一种很高明的方式现场模拟出来的。你可能听说，电影中的马蹄声是用半个椰果壳敲击出来，可是你知道以下这些声音是怎么制造出来的吗？

用手在瓜内部抓抠

用一个瓶子装一些晒干的豌豆，然后摇晃。

人们在电影中听到的声音并不是录制时的那种声音，而是经过电子处理或混音处理过的，有的甚至是倒着放的声音，特别是特技人员想制作人们从未听过的噪声时，就必须使用这种方法。比如说，《星球大战》中的声音效果就是把话筒靠近电视时发出的嗡嗡声和一个35毫米的电影放映机发出的声混合在一起时得到的。

外星人、怪物以及其他类似的动物发出的喧闹声需要做得更真实一些，所以制作它们的声音时通常要以录制好的真实的动物发出的声音为基础，把这些声音互相混合，或是经过电子处理。如果把录制好的声音快速播放，声音就会高亢一些，慢速播放时声音就会低沉一些，这样，最后得到的效果通常与刚开始时的声音大不相同。当你听到电影《侏罗纪公园》中那些猛禽的尖叫声或是《星球大战》中的楚巴克发出的声音，你很难听出来，这两种声音都是以海象的号叫声为基础经过处理得到的。

气氛音乐

电影音乐的作用在于让观众们更加相信电影中发生的事情是真实的。

声调高的音乐会让人神经紧张，产生恐惧感；低沉、不祥的音乐则暗示着将要发生可怕的事情；而舒缓轻松的音乐则让人相信事情会向好的方向发展。

在电影《大白鲨》里，当大白鲨出现时，史蒂芬·斯皮尔伯格总是不断地重复着一段音乐。刚开始时这段音乐特别舒缓低沉，让人觉得到处都充满了危险性；当大白鲨准备袭击人时，音乐就变得越来越快。不管什么时候，只要观众一听到这段音乐，他们就知道，大白鲨要出现了，也就是说，故事情节中又要出现意外的事情了。

在特别早期的电影中，根本没有什么声音，因为那时候都是默片，但这并不妨碍它们使用气氛音乐。每个电影院都会有一个钢琴师，每一次演出他们都会在现场为电影配上气氛音乐。

你想干特技制作这一行吗

如果你跟你的就业指导教师说自己想从事特技制作工作，他肯定会倾其所知给你提很多建议。

他也可能不跟你谈这些，而是会给你看一些关于正经职业如教师、工程师等的小册子。

问题在于，没有一条很好的路让你直接进入特技工作这个行当。很多现在从事这项工作的人开始都跟你现在的情况一样，他们对电影中的特技非常着迷，他们一遍又一遍地看他们喜欢看的电影，直到他们琢磨出里边的特技是如何制作出来的，然后就跃跃欲试地想自己在家里动手试试。正是这种对于特技工作的狂热和执著，再加上他们勤奋的工作以及无数次的实践，使得他们最终走上了他们热爱的特技制作之路。

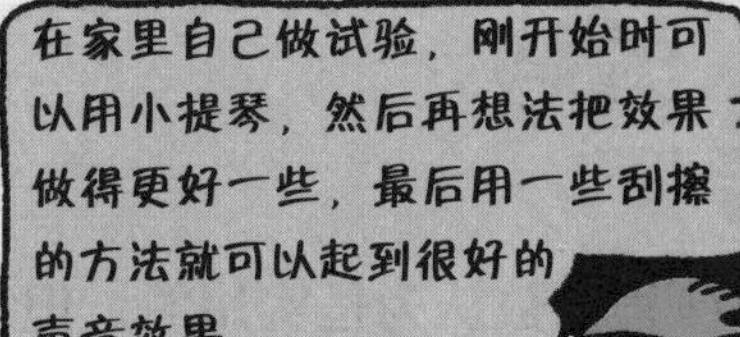

用摄像机来试着拍一些特效镜头，如果你没有摄像机，也可以用照相机试试。

如果你能借来一个电视摄像机，就可以和朋友们一起试着拍拍电影。

如果你有电脑，你还可以试着用图像处理软件来做一些特技。

用录音机来试着做一些声音特效……

自己试着设计制作无线遥控装置。

在家里做一些木偶。

试着排练一个木偶剧。

警告！

所有这些技艺都会在大学课程中被认为是实用的。但是有一种技能你用不着，以前从来用不着，将来可能永远也不会用得上，自己也不要去学，那就是烟火制造术。如果用火或炸药来做实验，这并不能说明你十分聪明，相反只能说明你十分愚蠢，并会给周围的事物造成很大威胁。因为一不小心，你就可能酿成火灾，这可是刑事犯罪哟。

即使你改变了主意去从事别的工作，你仍然可以把特技工作作为自己的兴趣。如果你锲而不舍，勤奋努力，也许你自己都很难预料，有一天你会站在好莱坞，甚至获得奥斯卡特技奖。

尾声

特技技术在过去的100年间得到了很大发展，而且现在仍在发展之中。剧本作者和电影制片人都在让一切变得无所不能，因为电脑技术现在已经突飞猛进。相信很快会有那么一天，我们会看见电脑制作的演员，或者在我们的家庭录像中加入一个恐龙的形象。

电脑技术的发展并不意味着简单的方法就不起作用了，烟雾仍是制造气氛的有效手段，它可以制造朦胧的场景；哑剧中的恶魔王还得通过地上的活动门板来显示自己高超的消失技能；魔术师们表演魔术时仍然要使用快手先生的三条原则。我们拥有飞速发展的技术，但我们不会事事都使用高科技，还要用到那些简单的东西。

未来会是什么样的？没有人能够确切地知道。但有一点可以肯定，那就是特技效果一定会越来越壮观。

“经典科学”系列（26册）

肚子里的恶心事儿
丑陋的虫子
显微镜下的怪物
动物惊奇
植物的咒语
臭屁的大脑
神奇的肢体碎片
身体使用手册
杀人疾病全记录
进化之谜
时间揭秘
触电惊魂
力的惊险故事
声音的魔力
神秘莫测的光
能量怪物
化学也疯狂
受苦受难的科学家
改变世界的科学实验
魔鬼头脑训练营
“末日”来临
鏖战飞行
目瞪口呆话发明
动物的狩猎绝招
恐怖的实验
致命毒药

“经典数学”系列（12册）

要命的数学
特别要命的数学
绝望的分数
你真的会＋－×÷吗
数字——破解万物的钥匙
逃不出的怪圈——圆和其他图形
寻找你的幸运星——概率的秘密
测来测去——长度、面积和体积
数学头脑训练营
玩转几何
代数任我行
超级公式

“科学新知”系列（17册）

破案术大全
墓室里的秘密
密码全攻略
外星人的疯狂旅行
魔术全揭秘
超级建筑
超能电脑
电影特技魔法秀
街上流行机器人
美妙的电影
我为音乐狂
巧克力秘闻
神奇的互联网
太空旅行记
消逝的恐龙
艺术家的魔法秀
不为人知的奥运故事

“自然探秘”系列（12册）

惊险南北极
地震了！快跑！
发威的火山
愤怒的河流
绝顶探险
杀人风暴
死亡沙漠
无情的海洋
雨林深处
勇敢者大冒险
鬼怪之湖
荒野之岛

“体验课堂”系列（4册）

体验丛林
体验沙漠
体验鲨鱼
体验宇宙

“中国特辑”系列（1册）

谁来拯救地球